George Sand.

(Madame Dudevant.)

Heath's Modern Language Series

LA PETITE FADETTE

PAR

GEORGE SAND

EDITED WITH NOTES AND VOCABULARY

BY

O. B. SUPER
WHEN PROFESSOR OF ROMANCE LANGUAGES, DICKINSON COLLEGE

NEW EDITION

D. C. HEATH & CO., PUBLISHERS
BOSTON NEW YORK CHICAGO

2 C 3

Printed in U. S. A.

INTRODUCTION

Lucile-Aurore Dupin, who chose to be known as George Sand, was the most celebrated woman in French literature and the most fertile of women writers of all time. She was born in Paris in 1804. On her father's side she was descended from an old and wealthy bourgeois family while her mother was a plebeian of the plebeians, altho possessed of considerable beauty and a certain native charm which, when she was thirty years old, attracted the gay young officer, Maurice Dupin, who was four years her junior. He was killed by a fall from his horse a few years after the marriage. The daughter's childhood was mostly spent with her grand-mother at Nohant in the old province of Berry. Here she was formally instructed in the old pedantic fashion and, after her own independent nature, she proceeded to supplement this instruction in two ways; first, by reading sentimental novels, such as *La Nouvelle Héloïse*, *Paul et Virginie*, and *Corinne;* secondly and chiefly, by communion with nature as revealed in the beautiful landscapes of Berry. The knowledge gained by this loving contact with nature she turned to account in some of her most popular novels.

In 1817 her grand-mother, apparently thinking that a little Parisian polish would improve her chances of marriage, sent her to a fashionable convent school in the gay metropolis. When she arrived at the school she was proficient in all kinds of out-door sports, was the ring-leader in all breaches of discipline, and was called "the Tomboy." Up to this time her religious education had been entirely neglected. This neglect was now supplied and while she was never profoundly religious, she never ceased to feel and appreciate the force of the religious sentiment, as will appear in reading almost any one of her numerous volumes. She left the convent in 1819 and returned to Nohant.

After enjoying nature and freedom for more than a year, her grand-mother having died, she went to Paris to live with her mother. Here, when only eighteen years old, she met a country squire, Casimir Dudevant, whom she was induced to marry. The marriage was an unhappy one but the two lived together for about eight years when she returned to Paris. Her husband allowed her 250 francs yearly from her large fortune which she supplemented by making translations, embroidering, painting and other feminine arts. In 1836 a definite separation was arranged between the two, leaving her a woman of independent fortune. At the office of the humorous periodical *Figaro* she met a young lawyer named Jules Sandeau, who later became a novelist of some note. Together they wrote a novel called *Rose et Blanche*, which appeared in 1831 under the pseudonym of "Jules Sand" but attracted little attention. She now began to work independently and in the following year published her novel called *Indiana* which at once became very popular. This was published under the name of "George Sand," a name which she ever after retained as a pseudonym. In rapid succession followed *Valentine* and *Lélia*. In 1833 she made a journey to Italy in company with de Musset, who profoundly influenced her. Two of her most important novels of this period are *Mauprat* and *Les Maîtres mosaïstes*.

About 1838, owing to the influence of Lamennais, de Bourges and the socialist Pierre Leroux, her manner changed and she became the apostle of human freedom and an ardent advocate of reforming and revolutionary theories. To this period belong about forty volumes, "all more or less tinged with this general warmth of universal sympathy, where aristocratic dames marry artisans and mechanics refuse the proffered hand of wealth and nobility." The most important of these are *Consuelo*, one of her best, with its prolix and somewhat mystic sequel *La Comtesse de Rudolstadt*, *Le Péché de M. Antoine*, *Horace*, and *Le Meunier d'Angibault*. During this period she also began writing those charming idyls, called by a celebrated critic the "French Georgics," which constitute an important addition to French literature. To this class belong *Jeanne*, *La Mare au diable*, *François le champi*, and *La Petite Fadette*, which appeared in 1849. She was greatly stirred by the revolution of 1848 and correspondingly depressed by its early collapse, and after the accession of Napoleon III she retired to Nohant where she lived almost continuously until her death in 1876. Her disappointment, however, seems to have stimulated her literary activity and she poured out her novels in rapid succession and also wrote numerous dramas, some of which were successful on the stage, altho her success in this line of work was never equal to that of her novels.

As love was the chief theme of her earlier romances, passion for humanity of those of the second period, love of nature and the revelations of soul in the lowly of the third, her later works are marked by a return to her first manner, softened by age and the conviction that many of her earlier ideas of reform were mere dreams. Here belong *Jean de la Roche*, *Le Marquis de Villemer*, *Mademoiselle la Quintanie*, and about a dozen others of less note.

George Sand's works as originally published count 84 volumes of novels, 10 of letters, 8 of memoirs, and 5 of dramas. Nor did the quality of her work suffer as much as might have been expected considering the rapidity with which it was produced. Most of what she wrote possesses qualities both of matter and style. Altho her insight into human nature was very considerable, she never made any effort at psychological analysis. She selected some subject that struck her fancy and then "let her pen trot," as she said.

Perhaps none of George Sand's works is more widely read at the present time than *La Petite Fadette*. "It possesses an idyllic charm and gentle sympathy with the children of nature that makes it redolent with the scent of wild thyme and sage." In order to make it more suitable for class use it has been con siderably abridged but all important omissions have been summarized in French. A few slight changes have also been made in the retained portions of the text where the original was deemed unsuitable for reading in mixed classes.

O. B. S.

DICKINSON COLLEGE,
June 1906

LA PETITE FADETTE

I

Le père Barbeau de la Cosse [1] n'était pas mal dans ses affaires,[2] à preuve qu'il était [3] du conseil municipal de sa commune. Il avait deux champs qui lui donnaient la nourriture de sa famille, et du profit par-dessus le marché. Il cueillait dans ses prés du foin à pleins charrois, et, sauf celui qui était au bord du ruisseau, et qui était un peu ennuyé par le jonc, c'était du fourrage connu dans l'endroit pour être de première qualité.

La maison du père Barbeau était bien bâtie, couverte en tuile, établie en bon air sur la côte, avec un jardin de bon rapport et une vigne de six journaux.[4] Enfin il avait, derrière sa grange, un beau verger, que nous appelons chez nous une ouche, où le fruit abondait tant en prunes qu'en guignes, en poires et en cormes. Mêmement [5] les noyers de ses bordures [6] étaient les plus vieux et les plus gros de deux lieues aux entours.

Le père Barbeau était un homme de bon courage, pas méchant, et très porté pour sa famille, sans être injuste à ses voisins et paroissiens.

Il avait déjà trois enfants, quand la mère Barbeau lui en donna deux à la fois, deux beaux garçons; et, comme ils étaient si pareils qu'on ne pouvait presque pas les distinguer l'un de l'autre, on reconnut bien vite que c'étaient deux bessons, c'est-à-dire deux jumeaux d'une parfaite ressemblance.

La mère Sagette, à qui on remit à leur naissance les deux petits garçons, n'oublia pas de faire au premier né une petite croix sur le bras avec son aiguille, parce que, disait-elle, un bout de ruban ou un collier peut se confondre et faire perdre le droit d'aînesse. Quand l'enfant sera plus fort, dit-elle, il faudra lui faire une marque qui ne puisse jamais s'effacer; à quoi l'on ne manqua pas. L'aîné fut nommé Sylvain, dont on fit bientôt Sylvinet, pour le distinguer de son frère aîné, qui lui avait servi de parrain [1]; et le cadet fut appelé Landry, nom qu'il garda comme il l'avait reçu au baptême, parce que son oncle, qui était son parrain, avait gardé de son jeune âge la coutume d'être appelé Landriche.

II

Les bessons croissaient à plaisir sans être malades plus que d'autres enfants, et mêmement ils avaient le tempérament si doux et si bien façonné qu'on eût dit qu'ils ne souffraient point de leurs dents ni de leur croît, autant que le reste du petit monde.

Ils étaient blonds et restèrent blonds toute leur vie. Ils avaient tout à fait bonne mine, de grands yeux bleus, les épaules bien avalées, le corps droit et bien planté, plus de taille et de hardiesse que tous ceux de leur âge, et tous les gens des alentours qui passaient par le bourg de Cosse, s'arrêtaient pour les regarder, pour s'émerveiller de leur retirance, et chacun s'en allait disant: « C'est tout de même une jolie paire de gars. »

Cela fut cause que, de bonne heure, les bessons s'accoutumèrent à être examinés et questionnés, et à ne point devenir honteux et sots en grandissant. Ils étaient à leur aise avec tout le monde, et, au lieu de se cacher derrière les buissons, comme font les enfants de chez nous quand ils aperçoivent un étranger, ils affrontaient le premier venu,[1] mais toujours très honnêtement, et répondaient à tout ce qu'on leur demandait, sans baisser la tête et sans se faire prier. Au premier moment, on ne faisait point entre eux de différence et on croyait voir un œuf et un œuf. Mais, quand on les avait observés un quart d'heure, on voyait que Landry était une miette plus grand et plus fort, qu'il avait le cheveu un peu plus épais, le nez plus fort et l'œil plus vif. Il avait aussi le front plus large et l'air plus décidé, et mêmement un signe que son frère avait à la joue droite, il l'avait à la joue gauche et beaucoup plus marqué. Les gens de l'endroit les reconnaissaient donc bien; mais cependant il leur fallait un petit moment, et, à la tombée de la nuit ou à une petite distance, ils s'y trompaient quasi tous, d'autant plus que les bessons avaient la voix toute pareille, et que, comme ils savaient bien qu'on pouvait les confondre, ils répondaient au nom l'un de l'autre sans se donner la peine de vous avertir de la méprise. Le père Barbeau lui-même s'y embrouillait quelquefois. Il n'y avait, ainsi que la Sagette l'avait annoncé, que la mère qui ne s'y embrouillât jamais, fût-ce à la grande nuit, ou du plus loin qu'elle pouvait les voir venir ou les entendre parler.

En fait, l'un valait l'autre, et si Landry avait une idée de gaieté et de courage de plus que son aîné, Sylvinet était si amiteux et si fin d'esprit qu'on ne pouvait pas l'aimer moins que son cadet. On pensa bien, pendant trois mois, à les empêcher de trop s'accoutumer l'un à l'autre. Trois mois, c'est beaucoup, en campagne, pour observer une chose contre la coutume. Mais, d'un côté, on ne voyait point que cela fît grand effet; d'autre part, 5 M. le curé avait dit que la mère Sagette était une radoteuse et que ce que le bon Dieu avait mis dans les lois de la nature ne pouvait être défait par les hommes. Si bien qu'on oublia peu à peu tout ce qu'on s'était promis de faire. La première fois qu'on leur ôta leur fourreau pour 10 les conduire à la messe en culottes, ils furent habillés du même drap, car ce fut un jupon de leur mère qui servit pour les deux habillements, et la façon fut la même, le tailleur de la paroisse n'en connaissant point deux.

Quand l'âge leur vint,[1] on remarqua qu'ils avaient le 15 même goût pour la couleur, et quand leur tante Rosette voulut leur faire cadeau à chacun d'une cravate, à la nouvelle année, ils choisirent tous deux la même cravate lilas au mercier colporteur qui promenait sa marchandise de porte en porte sur le dos de son cheval percheron.[2] 20 La tante leur demanda si c'était pour l'idée qu'ils avaient d'être toujours habillés l'un comme l'autre. Mais les bessons n'en cherchaient pas si long[3]; Sylvinet répondit que c'était la plus jolie couleur et le plus joli dessin de cravate qu'il y eût dans tout le ballot du mercier, et de 25 suite Landry assura que toutes les autres cravates étaient vilaines.

— Et la couleur de mon cheval, dit le marchand en souriant, comment la trouvez-vous ?

— Bien laide, dit Landry. Il ressemble à une vieille 30 pie.

— Tout à fait laide, dit Sylvinet. C'est absolument une pie mal plumée.

— Vous voyez bien, dit le mercier à la tante, d'un air judicieux, que ces enfants-là ont la même vue. Si l'un voit jaune ce qui est rouge, aussitôt l'autre verra rouge ce qui est jaune, et il ne faut pas les contrarier là-dessus, car on dit que quand on veut empêcher les bessons de se considérer comme les deux empreintes d'un même dessin, ils deviennent idiots et ne savent plus du tout ce qu'ils disent. — Le mercier disait cela parce que ses cravates lilas étaient mauvais teint et qu'il avait envie d'en vendre deux à la fois.

Par la suite du temps, tout alla de même, et les bessons furent habillés si pareillement, qu'on avait encore plus souvent lieu de les confondre, et soit par malice d'enfant, soit par la force de cette loi de nature que le curé croyait impossible à défaire, quand l'un avait cassé le bout de son sabot, bien vite l'autre écornait le sien du même pied; quand l'un déchirait sa veste ou sa casquette, sans tarder, l'autre imitait si bien la déchirure, qu'on aurait dit que le même accident l'avait occasionnée: et puis, mes bessons de rire et de prendre [1] un air sournoisement innocent quand on leur demandait compte de la chose.

Bonheur ou malheur, cette amitié-là augmentait toujours avec l'âge, et le jour où ils surent raisonner un peu, ces enfants se dirent qu'ils ne pouvaient pas s'amuser avec d'autres enfants quand un des deux ne s'y trouvait pas; et le père ayant essayé d'en garder un toute la journée avec lui, tandis que l'autre restait avec la mère, tous les deux furent si tristes, si pâles et si lâches au travail, qu'on les crut malades. Et puis quand ils se retrouvèrent le soir, ils s'en allèrent tous deux par les chemins, se tenant par la main et ne voulant plus rentrer, tant ils avaient d'aise d'être ensemble, et aussi parce qu'ils boudaient un peu leurs parents de leur avoir fait ce chagrin-là. On n'essaya plus guère de recommencer, car il faut dire que le père et la mère, mêmement les oncles et les tantes, les frères et les sœurs, avaient pour les bessons une amitié qui tournait un peu en faiblesse. Ils en étaient fiers, à force d'en recevoir des compliments, et aussi parce que c'était, de vrai, deux enfants qui n'étaient ni laids, ni sots, ni méchants. De temps en temps, le père Barbeau s'inquiétait bien un peu de ce que deviendrait cette accoutumance d'être toujours ensemble quand ils seraient en âge d'homme, et se remémorant les paroles de la Sagette, il essayait de les taquiner pour les rendre jaloux l'un de l'autre. S'ils faisaient une petite faute, il tirait les oreilles de Sylvinet par exemple disant à Landry: « Pour cette fois, je te pardonne à toi, parce que tu es ordinairement le plus raisonnable. » Mais cela consolait Sylvinet d'avoir chaud aux oreilles, de voir qu'on avait épargné son frère, et Landry pleurait comme si c'était lui qui avait reçu la correction. On tenta aussi de donner, à l'un seulement, quelque chose dont tous deux avaient envie; mais tout aussitôt, si c'était chose bonne à manger, ils partageaient; ou si c'était toute autre amusette ou épellette à leur usage, ils le mettaient en commun, ou se le donnaient et redonnaient l'un à l'autre, sans distinction du tien et du mien. Faisait-on à l'un un compliment de sa conduite, en ayant l'air de ne pas rendre justice à l'autre, cet autre était content et fier de voir encourager et caresser son besson, et se mettait à le flatter et à le caresser aussi. Enfin, c'était peine perdue que de vouloir les diviser d'esprit ou de corps, et comme on n'aime guère à contrarier des enfants qu'on chérit, même quand c'est pour leur bien, on laissa vite aller les choses comme Dieu voulut; ou bien on se fit de ces petites picoteries un jeu dont les deux bessons n'étaient point dupes. Ils étaient fort malins, et quelquefois, pour qu'on les laissât tranquilles, ils faisaient mine de se disputer et de se battre; mais ce n'était qu'un amusement de leur part, et ils n'avaient garde, en se roulant l'un sur l'autre, de se faire le moindre mal; si quelque badaud s'étonnait de les voir en bisbille, ils se cachaient pour rire de lui, et on les entendait babiller et chantonner ensemble comme deux merles dans une branche.

Malgré cette grande ressemblance et cette grande inclination, Dieu, qui n'a rien fait d'absolument pareil dans le ciel et sur la terre, voulut qu'ils eussent un sort bien différent, et c'est alors qu'on vit que c'étaient deux créatures séparées dans l'idée du bon Dieu, et différentes dans leur propre tempérament.

On ne vit la chose qu'à l'essai, et cet essai arriva après qu'ils eurent fait ensemble leur première communion.[1] La famille du père Barbeau augmentait, grâce à ses deux filles aînées qui ne chômaient pas de mettre de beaux enfants au monde. Son fils aîné, Martin, un beau et brave garçon, était au service[2]; ses gendres travaillaient bien, mais l'ouvrage n'abondait pas toujours. Nous avons eu, dans nos pays, une suite de mauvaises années, tant pour les vimaires du temps que pour les embarras du commerce, qui ont délogé plus d'écus de la poche des gens de campagne qu'elles n'y en ont fait rentrer. Si bien que le père Barbeau n'était pas assez riche pour garder tout son monde avec lui, et il fallait bien songer à mettre ses bessons en condition chez les autres. Le père Caillaud de la Priche lui offrit d'en prendre un pour toucher ses bœufs, parce qu'il avait un fort domaine à faire valoir, et que tous ses garçons étaient trop grands ou trop jeunes pour cette besogne-là. La mère Barbeau eut grand'peur [1] et grand chagrin quand son mari lui en parla pour la première fois. On eût dit qu'elle n'avait jamais prévu que la chose dût arriver à ses bessons, et pourtant elle s'en était inquiétée leur vie durant; mais comme elle était grandement soumise à son mari, elle ne sut que dire. Le père avait bien du souci aussi pour son compte, et il prépara la chose de loin. D'abord les deux bessons pleurèrent et passèrent trois jours à travers bois et prés, sans qu'on les vît, sauf à l'heure des repas. Ils ne disaient mot à leurs parents, et quand on leur demandait s'ils avaient pensé à se soumettre, ils ne répondaient rien, mais ils raisonnaient beaucoup quand ils étaient ensemble.

Le premier jour ils ne surent que se lamenter tous deux, et se tenir par les bras comme s'ils avaient crainte qu'on ne vînt les séparer par force. Mais le père Barbeau ne l'eût point fait. Il avait la sagesse d'un paysan, qui est faite moitié de patience et moitié de confiance dans l'effet du temps. Aussi le lendemain, les bessons voyant qu'on ne les taboulait point, et que l'on comptait que la raison leur viendrait, se trouvèrent-ils plus effrayés de la volonté paternelle qu'ils ne l'eussent été par menaces et châtiments.

— Il faudra pourtant bien nous y ranger, dit Landry, et c'est à savoir lequel de nous s'en ira: car on nous a laissé le choix, et le père Caillaud a dit qu'il ne pouvait pas nous prendre tous les deux.

— Qu'est-ce que ça me fait [2] que je parte ou que je reste, dit Sylvinet, puisqu'il faut que nous nous quittions? Je ne pense seulement pas à l'affaire d'aller vivre ailleurs; si j'y allais avec toi, je me désaccoutumerais bien de la maison.

— Ça se dit comme ça,[1] reprit Landry, et pourtant celui qui restera avec nos parents aura plus de consolation et moins d'ennui que celui qui ne verra plus ni son besson, ni son père, ni sa mère, ni son jardin, ni ses bêtes, ni tout ce qui a coutume de lui faire plaisir. 5

Landry disait cela d'un air assez résolu; mais Sylvinet se remit à pleurer; car il n'avait pas autant de résolution que son frère, et l'idée de tout perdre et de tout quitter à la fois lui fit tant de peine qu'il ne pouvait plus s'arrêter dans ses larmes. 10

Landry pleurait aussi, mais pas autant, et pas de la même manière; car il pensait toujours à prendre pour lui le plus gros de la peine, et il voulait voir ce que son frère en pouvait supporter, afin de lui épargner tout le reste. Il connut bien que Sylvinet avait plus peur que lui d'aller 15 habiter un endroit étranger et de se donner à une famille autre que la sienne.

— Tiens, frère, lui dit-il, si nous pouvons nous décider à la séparation, mieux vaut que je m'en aille. Tu sais bien que je suis un peu plus fort que toi et que quand 20 nous sommes malades, ce qui arrive presque toujours en même temps, la fièvre se met plus fort après [2] toi qu'après moi. On dit que nous mourrons peut-être si l'on nous sépare. Moi je ne crois pas que je mourrai; mais je ne répondrais pas de toi, et c'est pour cela que j'aime mieux 25 te savoir avec notre mère, qui te consolera et te soignera. De fait, si l'on fait chez nous une différence entre nous deux, ce qui ne paraît guère, je crois bien que c'est toi qui es le plus chéri, et je sais que tu es le plus mignon et le plus amiteux. Reste donc, moi je partirai. Nous ne 30 serons pas loin l'un de l'autre. Les terres du père Caillaud touchent les nôtres, et nous nous verrons tous les jours.

Moi j'aime la peine et ça me distraira, et comme je cours mieux que toi, je viendrai plus vite te trouver aussitôt que j'aurai fini ma journée. Toi, n'ayant pas grand'chose à faire, tu viendras en te promenant me voir à mon ouvrage. Je serai bien moins inquiet à ton sujet que si tu étais dehors et moi dedans [1] la maison. Par ainsi, je te demande d'y rester.

III

Sylvinet ne voulut point entendre à cela; quoiqu'il eût le cœur plus tendre que Landry pour son père, sa mère et sa petite Nanette, il s'effrayait de laisser l'endosse à son cher besson.

Quand ils eurent bien discuté, ils tirèrent à la courte paille [2] et le sort tomba sur Landry. Sylvinet ne fut pas content de l'épreuve et voulut tenter à pile ou face [3] avec un gros sou. Face tomba trois fois pour lui, c'était toujours à Landry de partir.

— Tu vois bien que le sort le veut, dit Landry, et tu sais qu'il ne faut pas contrarier le sort.

Le troisième jour, Sylvinet pleura bien encore, mais Landry ne pleura presque plus. La première idée du départ lui avait fait peut-être une plus grosse peine qu'à son frère, parce qu'il avait mieux senti son courage et qu'il ne s'était pas endormi sur l'impossibilité de résister à ses parents; mais, à force de penser à son mal, il l'avait plus vite usé, et il s'était fait beaucoup de raisonnements, tandis qu'à force de se désoler, Sylvinet n'avait pas eu le courage de se raisonner: si bien que Landry était tout décidé à partir, que Sylvinet ne l'était point encore à le voir [4] s'en aller.

Et puis Landry avait un peu plus d'amour-propre que son frère. On leur avait tant dit qu'ils ne seraient jamais qu'une moitié d'homme s'ils ne s'habituaient pas à se quitter, que Landry, qui commençait à sentir l'orgueil de ses quatorze ans, avait envie de montrer qu'il n'était plus un enfant. Il avait toujours été le premier à persuader et à entraîner son frère, depuis la première fois qu'ils avaient été chercher un nid au faîte d'un arbre, jusqu'au jour où ils se trouvaient. Il réussit donc encore cette fois-là à le tranquilliser, et, le soir, en rentrant à la maison, il déclara à son père que son frère et lui se rangeaient au devoir, qu'ils avaient tiré au sort, et que c'était à lui, Landry, d'aller toucher les grands bœufs de la Priche.

Le père Barbeau prit ses deux bessons sur un de ses genoux, quoiqu'ils fussent déjà grands et forts, et il leur parla ainsi:

— Mes enfants, vous voilà en âge de raison, je le connais à votre soumission et j'en suis content. Souvenez-vous que quand les enfants font plaisir à leurs père et mère,[1] ils font plaisir au grand Dieu du ciel qui les en récompense un jour ou l'autre. Je ne veux pas savoir lequel de vous deux s'est soumis le premier. Mais Dieu le sait, et il bénira celui-là pour avoir bien parlé, comme il bénira aussi l'autre pour avoir bien écouté.

Là-dessus il conduisit ses bessons auprès de leur mère pour qu'elle leur fît son compliment; mais la mère Barbeau eut tant de peine à se retenir de pleurer, qu'elle ne put rien leur dire et se contenta de les embrasser.

Le père Barbeau, qui n'était pas un maladroit, savait bien lequel des deux avait le plus de courage et lequel avait le plus d'attache. Il ne voulut point laisser froidir la bonne volonté de Sylvinet, car il voyait que Landry était tout décidé pour lui-même, et qu'une seule chose, le chagrin de son frère, pouvait le faire broncher. Il éveilla donc Landry avant le jour, en ayant bien soin de ne pas secouer son aîné, qui dormait à côté de lui.

— Allons, petit, lui dit-il tout bas, il nous faut partir pour la Priche avant que ta mère te voie, car tu sais qu'elle a du chagrin, et il faut lui épargner les adieux. Je vas [1] te conduire chez ton nouveau maître et porter ton paquet.

— Ne dirai-je pas adieu à mon frère ? demanda Landry. Il m'en voudra si je le quitte sans l'avertir.

— Si ton frère s'éveille et te voit partir, il pleurera, il réveillera votre mère, et votre mère pleurera encore plus fort, à cause de votre chagrin. Allons, Landry, tu es un garçon de grand cœur, et tu ne voudrais pas rendre ta mère malade. Fais ton devoir tout entier, mon enfant; pars sans faire semblant de rien. Pas plus tard que ce soir, je te conduirai ton frère, et comme c'est demain dimanche, tu viendras voir ta mère sur le jour.

Landry obéit bravement et passa la porte de la maison sans regarder derrière lui. La mère Barbeau n'était pas si bien endormie ni si tranquille qu'elle n'eût entendu tout ce que son homme disait à Landry. La pauvre femme, sentant la raison de son mari, ne bougea et se contenta d'écarter un peu son rideau pour voir sortir Landry. Elle eut le cœur si gros qu'elle se jeta à bas du lit pour aller l'embrasser, mais elle s'arrêta quand elle fut devant le lit des bessons, où Sylvinet dormait encore à pleins yeux. Le pauvre garçon avait tant pleuré depuis trois jours et quasi trois nuits, qu'il était vanné par la fatigue, et même il se sentait d'un peu de fièvre, car il se tournait et retournait sur son coussin, envoyant de gros soupirs et gémissant sans pouvoir se réveiller.

Alors la mère Barbeau, voyant et avisant le seul de ses bessons qui lui restât, ne put pas s'empêcher de se dire que c'était celui qu'elle eût vu partir avec le plus de peine. Il est bien vrai qu'il était le plus sensible des deux, soit qu'il eût le tempérament moins fort, soit que Dieu, dans sa loi de nature, ait écrit que de deux personnes qui s'aiment, soit d'amour,[1] soit d'amitié, il y en a toujours une qui doit donner son cœur plus que l'autre. Le père Barbeau avait un brin de préférence pour Landry, parce qu'il faisait cas du travail et du courage plus que des caresses et des attentions. Mais la mère avait ce brin de préférence pour le plus gracieux et le plus câlin, qui était Sylvinet.

La voilà donc qui se prend à regarder [2] son pauvre gars, tout pâle et tout défait, et qui se dit que ce serait grand'-pitié de le mettre déjà en condition; que son Landry a plus d'étoffe pour endurer la peine, et que d'ailleurs l'amitié pour son besson et pour sa mère ne le foule pas au point de le mettre en danger de maladie. C'est un enfant qui a une grande idée de son devoir, pensait-elle; mais tout de même, s'il n'avait pas le cœur un peu dur, il ne serait pas parti comme ça sans barguigner, sans tourner la tête et sans verser une pauvre larme. Il n'aurait pas eu la force de faire deux pas sans se jeter sur ses genoux pour demander courage au bon Dieu, et il se serait approché de mon lit, où je faisais la frime de dormir, tant seulement pour me regarder et pour embrasser le bout de mon rideau. Mon Landry est bien un véritable garçon. Ça ne demande qu'à vivre, à remuer, à travailler et à changer de place. Mais celui-ci a le cœur d'une fille; c'est si tendre et si doux qu'on ne peut pas s'empêcher d'aimer ça comme ses yeux.

Ainsi devisait en elle-même la mère Barbeau tout en retournant à son lit, où elle ne se rendormit point, tandis
5 que le père Barbeau emmenait Landry à travers prés et pacages du côté de la Priche. Quand ils furent sur une petite hauteur, d'où l'on ne voit plus les bâtiments de la Cosse aussitôt qu'on se met à la descendre, Landry s'arrêta et se retourna. Le cœur lui enfla, et il s'assit sur la fougère,
10 ne pouvant faire un pas de plus. Son père fit mine de ne point s'en apercevoir et de continuer à marcher. Au bout d'un petit moment il l'appela bien doucement en lui disant:

—Voilà qu'il fait jour, mon Landry; dégageons-nous
15 si nous voulons arriver avant le soleil levé.

Landry se releva, et comme il s'était juré de ne point pleurer devant son père, il rentra ses larmes qui lui venaient dans les yeux grosses comme des pois. Il fit comme s'il avait laissé tomber son couteau de sa poche,
20 et il arriva à la Priche sans avoir montré sa peine, qui pourtant n'était pas mince.

IV

Le père Caillaud, voyant que des deux bessons on lui amenait le plus fort et le plus diligent, fut tout aise de le recevoir. Il savait bien que cela n'avait pas dû se décider
25 sans chagrin, et comme c'était un brave homme et un bon voisin, fort ami du père Barbeau, il fit de son mieux pour flatter et encourager le jeune gars. Il lui fit donner vitement la soupe et un pichet de vin pour lui remettre

le cœur, car il était aisé de voir que le chagrin y était. Il le mena ensuite avec lui pour lier les bœufs, et il lui fit connaître la manière dont il s'y prenait. De fait, Landry n'était pas novice dans cette besogne-là; car son père avait une jolie paire de bœufs, qu'il avait souvent ajustés 5 et conduits à merveille. Aussitôt que l'enfant vit les grands bœufs du père Caillaud, qui étaient les mieux tenus, les mieux nourris et les plus forts de race de tout le pays, il se sentit chatouillé dans son orgueil d'avoir une si belle aumaille au bout de son aiguillon. Et puis il était 10 content de montrer qu'il n'était ni maladroit ni lâche, et qu'on n'avait rien de nouveau à lui apprendre. Son père ne manqua pas de le faire valoir, et quand le moment fut venu de partir pour les champs, tous les enfants du père Caillaud, garçons et filles, grands et petits, vinrent em- 15 brasser le besson, et la plus jeune des filles lui attacha une branchée de fleurs avec des rubans à son chapeau, parce que c'était son premier jour de service et comme un jour de fête pour la famille qui le recevait. Avant de le quitter, son père lui fit une admonestation en présence de son 20 nouveau maître, lui commandant de le contenter en toutes choses et d'avoir soin de son bétail comme si c'était son bien propre.

Là-dessus, Landry ayant promis de faire de son mieux, s'en alla au labourage, où il fit bonne contenance et bon 25 office tout le jour, et d'où il revint ayant grand appétit; car c'était la première fois qu'il travaillait aussi rude, et un peu de fatigue est un souverain remède contre le chagrin.

Mais ce fut plus malaisé à passer pour le pauvre Syl- 30 vinet, à la Bessonnière[1]: car il faut vous dire que la maison et la propriété du père Barbeau, situées au bourg

de la Cosse, avaient pris ce nom-là depuis la naissance des deux enfants, et à cause que, peu de temps après, une servante de la maison avait mis au monde une paire de bessonnes qui n'avaient point vécu. Or, comme les
5 paysans sont grands donneurs de sornettes [1] et sobriquets, la maison et la terre avaient reçu le nom de Bessonnière; et partout où se montraient Sylvinet et Landry, les enfants ne manquaient pas de crier autour d'eux: « Voilà les bessons de la Bessonnière ! »

10 Or donc, il y avait grande tristesse ce jour-là à la Bessonnière du père Barbeau. Sitôt que Sylvinet fut éveillé, et qu'il ne vit point son frère à son côté, il se douta de la vérité, mais il ne pouvait croire que Landry pût être parti comme cela sans lui dire adieu; et il était fâché
15 contre lui au milieu de sa peine.

— Qu'est-ce que je lui ai donc fait, disait-il à sa mère, et en quoi ai-je pu le mécontenter ? Tout ce qu'il m'a conseillé de faire, je m'y suis toujours rendu; et quand il m'a recommandé de ne point pleurer devant vous, ma
20 mère mignonne, je me suis retenu de pleurer, tant que la tête m'en sautait. Il m'avait promis de ne pas s'en aller sans me dire encore des paroles pour me donner courage, et sans déjeuner avec moi au bout de la Chènevière, à l'endroit où nous avions coutume d'aller causer et nous
25 amuser tous les deux. Je voulais lui faire son paquet et lui donner mon couteau qui vaut mieux que le sien. Vous lui aviez donc fait son paquet hier soir sans me rien dire, ma mère, et vous saviez donc qu'il voulait s'en aller sans me dire adieu ?

30 — J'ai fait la volonté de ton père, répondit la mère Barbeau.

Et elle dit tout ce qu'elle put s'imaginer pour le consoler.

Il ne voulait entendre à rien; et ce ne fut que quand il vit qu'elle pleurait aussi, qu'il se mit à l'embrasser, à lui demander pardon d'avoir augmenté sa peine, et à lui promettre de rester avec elle pour la dédommager. Mais aussitôt qu'elle l'eut quitté pour vaquer à la basse-cour et 5 à la lessive, il se prit de courir du côté de la Priche, sans même songer où il allait, mais se laissant emporter par son instinct comme un pigeon qui court après sa pigeonne sans s'embarrasser du chemin.

Il aurait été [1] jusqu'à la Priche s'il n'avait rencontré 10 son père qui en revenait, et qui le prit par la main pour le ramener, en lui disant: « Nous irons ce soir, mais il ne faut pas détemcer ton frère pendant qu'il travaille, ça ne contenterait pas son maître; d'ailleurs la femme de chez nous [2] est dans la peine, et je compte que c'est toi qui la 15 consoleras. »

(Landry rentre bientôt chez lui pour revoir son frère jumeau et le reste de sa famille. Il s'accoutume bravement à sa nouvelle vie. Sylvinet devient d'une sensibilité maladive à l'égard de Landry.)

V

La semaine se passa de même, Sylvinet allant voir Landry tous les jours, et Landry s'arrêtant avec lui un moment ou deux quand il venait du côté de la Bessonnière; Landry prenant de mieux en mieux son parti, 20 Sylvinet ne le prenant pas du tout, et comptant les jours, les heures, comme une âme en peine.[3]

Il n'y avait au monde que Landry qui pût faire entendre raison à son frère.[4] Aussi la mère eut-elle recours à lui pour l'engager à se tranquilliser; car de jour en jour 25 l'affliction du pauvre enfant augmentait. Il ne jouait plus, il ne travaillait que commandé; il promenait encore sa petite sœur, mais sans presque lui parler et sans songer à l'amuser, la regardant seulement pour l'empêcher de tomber et d'attraper du mal. Aussitôt qu'on n'avait plus les yeux sur lui, il s'en allait tout seul et se cachait si bien qu'on ne savait où le prendre. Il entrait dans tous les fossés, dans toutes les bouchures, dans toutes les ravines, où il avait eu accoutumance de jouer et de deviser avec Landry, et il s'asseyait sur les racines où ils s'étaient assis ensemble, il mettait ses pieds dans tous les filets d'eau où ils avaient pataugé comme deux vraies canettes; il était content quand il y retrouvait quelques bouts de bois que Landry avait chapusés avec sa serpette, ou quelques cailloux dont il s'était servi comme de palet ou de pierre à feu. Il les recueillait et les cachait dans un trou d'arbre ou sous une cosse de bois, afin de venir les prendre et les regarder de temps en temps, comme si ç'avait été des choses de conséquence. Il allait toujours se remémorant et creusant dans sa tête pour y retrouver toutes les petites souvenances de son bonheur passé. Ça n'eût paru rien à un autre, et pour lui c'était tout. Il ne prenait point souci du temps à venir, n'ayant courage pour penser à une suite de jours comme ceux qu'il endurait. Il ne pensait qu'au temps passé, et se consumait dans une rêvasserie continuelle.

A des fois, il s'imaginait voir et entendre son besson, et il causait tout seul, croyant lui répondre. Ou bien il s'endormait là où il se trouvait, et rêvant de lui; et quand il se réveillait, il pleurait d'être seul, ne comptant pas ses larmes et ne les retenant point, parce qu'il espérait qu'à fine force la fatigue userait et abattrait sa peine.

Une fois qu'il avait été vaguer jusqu'au droit des tailles de Champeaux, il retrouva sur le riot qui sort du bois au temps des pluies, et qui était maintenant quasiment tout asséché, un de ces petits moulins que font les enfants de chez nous avec des grobilles, et qui sont si finement agen- 5 cés qu'ils tournent au courant de l'eau et restent là quelquefois bien longtemps, jusqu'à ce que d'autres enfants les cassent ou que les grandes eaux les emmènent. Celui que Sylvinet retrouva, sain et entier, était là depuis plus de deux mois, et, comme l'endroit était désert, il n'avait 10 été vu ni endommagé par personne. Sylvinet le reconnaissait bien pour être l'ouvrage de son besson, et, en le faisant, ils s'étaient promis de venir le voir; mais ils n'y avaient plus songé, et depuis ils avaient fait bien d'autres moulins dans d'autres endroits. 15

Sylvinet fut donc tout aise de le retrouver, et il le porta un peu plus bas, là où le riot s'était retiré, pour le voir tourner et se rappeler l'amusement que Landry avait eu à lui donner le premier branle. Et puis il le laissa, se faisant un plaisir d'y revenir au premier dimanche avec Landry, 20 pour lui montrer comme leur moulin avait résisté, pour être solide et bien construit.

Mais il ne put se tenir d'y revenir tout seul le lendemain, et il trouva le bord du riot tout troublé et tout battu par les pieds des bœufs qui y étaient venus boire, et qu'on 25 avait mis pacager le matin dans la taille. Il avança un petit peu, et vit que les animaux avaient marché sur son moulin et l'avaient si bien mis en miettes qu'il n'en trouva que peu. Alors il eut le cœur gros, et s'imagina que quelque malheur avait dû arriver ce jour-là à son besson, 30 et il courut jusqu'à la Priche pour s'assurer qu'il n'avait aucun mal. Mais comme il s'était aperçu que Landry n'aimait pas à le voir venir sur le jour, à cause qu'il craignait de fâcher son maître en se laissant détemcer, il se contenta de le regarder de loin pendant qu'il travaillait, et il ne se fit point voir à lui. Il aurait eu honte de confesser quelle idée l'avait fait accourir, et il s'en retourna[1] sans mot dire et sans en parler à personne, que bien longtemps après.

Comme il devenait pâle, dormait mal et ne mangeait quasi point, sa mère était bien affligée et ne savait que faire pour le consoler. Elle essayait de le mener avec elle au marché, ou de l'envoyer aux foires à bestiaux avec son père ou ses oncles: mais de rien il ne se souciait ni ne s'amusait, et le père Barbeau, sans lui en rien dire, essayait de persuader au père Caillaud de prendre les deux bessons à son service. Mais le père Caillaud lui répondait une chose dont il sentait la raison.

—Un supposé que je les prendrais tous deux pour un temps, ça ne pourrait pas durer, car, là où il faut un serviteur, il n'en est besoin de deux pour des gens comme nous. Au bout de l'année, il vous faudrait toujours en louer un quelque autre part. Et ne voyez-vous pas que si votre Sylvinet était dans un endroit où on le forçât de travailler, il ne songerait pas tant, et ferait comme l'autre, qui en a pris bravement son parti? Tôt ou tard il faudra en venir là. Vous ne le louerez peut-être pas où vous voudrez, et si ces enfants doivent encore être plus éloignés l'un de l'autre, et ne se voir que de semaine en semaine, ou de mois en mois, il vaut mieux commencer à les accoutumer à n'être pas toujours dans la poche l'un de l'autre. Soyez donc plus raisonnable que cela, mon vieux, et ne faites pas tant d'attention au caprice d'un enfant que votre femme et vos autres enfants ont trop écouté et trop câliné. Le plus fort est fait, et croyez bien qu'il s'habituera au reste si vous ne cédez point.

Le père Barbeau se rendait et reconnaissait que plus Sylvinet voyait son besson, tant plus il avait envie de le voir. Et il se promettait, à la prochaine Saint-Jean,[1] d'essayer de le louer, afin que voyant de moins en moins Landry, il prît finalement le pli de vivre comme les autres et de ne pas se laisser surmonter par une amitié qui tournait en fièvre et en langueur.

Mais il ne fallait point encore parler de cela à la mère Barbeau; car, au premier mot, elle versait toutes les larmes de son corps. Elle disait que Sylvinet était capable de se périr, et le père Barbeau était grandement embarrassé.

Landry, étant conseillé par son père et par son maître, et aussi par sa mère, ne manquait point de raisonner son pauvre besson; mais Sylvinet ne se défendait point, promettait tout, et ne se pouvait vaincre.[2] Il y avait dans sa peine quelque autre chose qu'il ne disait point, parce qu'il n'eût su comment le dire: c'est qu'il lui était poussé dans le fin-fond du cœur une jalousie terrible à l'endroit de Landry. Il était content, plus content que jamais il ne l'avait été, de voir qu'un chacun le tenait en estime et que ses nouveaux maîtres le traitaient aussi amiteusement que s'il avait été l'enfant de la maison. Mais si cela le réjouissait d'un côté, de l'autre il s'affligeait et s'offensait de voir Landry répondre trop, selon lui, à ces nouvelles amitiés. Il ne pouvait souffrir que, sur un mot du père Caillaud, tant doucement et patiemment qu'il fût appelé, il courût vitement au-devant de son vouloir, laissant là père, mère et frère, plus inquiet de manquer à son devoir qu'à son amitié, et plus prompt à l'obéissance que Sylvinet ne s'en serait senti capable quand il s'agissait de rester quelques moments de plus avec l'objet d'un amour si fidèle.

Alors le pauvre enfant se mettait en l'esprit un souci
5 que, devant,[1] il n'avait eu, à savoir qu'il était le seul à aimer, et que son amitié lui était mal rendue; que cela avait dû exister de tout temps sans être venu d'abord à sa connaissance; ou bien que, depuis un temps, l'amour de son besson s'était refroidi, parce qu'il avait rencontré
10 par ailleurs des personnes qui lui convenaient mieux et lui agréaient davantage.

(Les nouveaux amis et les nouvelles occupations de Landry absorbent toute l'attention de celui-ci. Sylvinet en est jaloux, et cette jalousie maladive le rend irritable à l'égard de son frère. Finalement, lorsque Landry revient chez lui un dimanche, après avoir renoncé à une partie de plaisir avec d'autres garçons, pour aller voir sa famille, Sylvinet est introuvable. Landry trouve sa mère en larmes. Elle lui dit en se lamentant que Sylvinet paraît être devenu fou, qu'il est sorti avant l'aube, et qu'elle craint qu'il ne se soit suicidé.)

VI

Cette idée, que Sylvinet pouvait avoir eu envie de se détruire, passa de la tête de la mère dans celle de Landry aussi aisément qu'une mouche dans une toile d'araignée,
15 et il se mit vivement à la recherche de son frère. Il avait bien du chagrin tout en courant, et il se disait: « Peut-être [2] que ma mère avait raison autrefois de me reprocher mon cœur dur. Mais, à cette heure, il faut que Sylvinet ait le sien bien malade pour faire toute cette peine à
20 notre pauvre mère et à moi. »

Il courut de tous les côtés sans le trouver, l'appelant

sans qu'il lui répondît, le demandant à tout le monde, sans qu'on pût lui en donner nouvelles. Enfin il se trouva au droit du pré de la Joncière, et il y entra, parce qu'il se souvint qu'il y avait par là un endroit que Sylvinet affectionnait. C'était une grande coupure que la rivière avait faite dans les terres en déracinant deux ou trois vergnes qui étaient restés en travers de l'eau, les racines en l'air. Le père Barbeau n'avait pas voulu les retirer. Il les avait sacrifiés parce que, de la manière qu'ils étaient tombés, ils retenaient encore les terres qui restaient prises en gros cossons dans leurs racines, et cela était bien à propos; car l'eau faisait tous les hivers beaucoup de dégâts dans sa joncière et chaque année lui mangeait un morceau de son pré.

Landry approcha donc de la coupure, car son frère et lui avaient la coutume d'appeler comme cela cet endroit de leur joncière. Il ne prit pas le temps de tourner jusqu'au coin où ils avaient fait eux-mêmes un petit escalier en mottes de gazon appuyées sur des pierres et des *racicots*, qui sont de grosses racines sortant de terre et donnant du rejet. Il sauta du plus haut qu'il put pour arriver vitement au fond de la coupure, à cause qu'il y avait au droit de la rive de l'eau tant de branchages et d'herbes plus hautes que sa taille, que si son frère s'y fût trouvé, il n'eût pu le voir, à moins d'y entrer.

Il y entra donc, en grand émoi, car il avait toujours dans son idée, ce que sa mère lui avait dit, que Sylvinet était dans le cas d'avoir voulu finir ses jours. Il passa et repassa dans tous les feuillages et battit tous les herbages, appelant Sylvinet en sifflant le chien qui sans doute l'avait suivi, car de tout le jour on ne l'avait point vu à la maison non plus que son jeune maître.

Mais Landry eut beau appeler et chercher, il se trouva tout seul dans la coupure. Comme c'était un garçon qui faisait toujours bien les choses et s'avisait de tout ce qui est à propos, il examina toutes les rives pour voir s'il n'y
5 trouverait pas quelque marque de pied, ou quelque petit éboulement de terre qui n'eût point coutume d'y être. C'est une recherche bien triste et aussi bien embarrassante, car il y avait environ un mois que Landry n'avait vu l'endroit, et il avait beau le connaître comme on connaît
10 sa main, il ne se pouvait faire qu'il n'y eût toujours quelque petit changement. Toute la rive droite était gazonnée, et mêmement, dans tout le fond de la coupure, le jonc et la prêle avaient poussé si dru dans le sable, qu'on ne pouvait voir un coin grand comme le pied pour
15 y chercher une empreinte. Cependant, à force de tourner et de retourner, Landry trouva dans un fond la piste du chien, et même un endroit d'herbes foulées, comme si Finot [1] ou tout autre chien de sa taille s'y fût couché en rond.

Cela lui donna bien à penser, et il alla encore examiner
20 la berge de l'eau. Il s'imagina trouver une déchirure toute fraîche, comme si une personne l'avait faite avec son pied en sautant, ou en se laissant glisser, et quoique la chose ne fût point claire, car ce pouvait tout aussi bien être l'ouvrage d'un de ces gros rats d'eau qui fourragent, creu-
25 sent et rongent en pareils endroits, il se mit si fort en peine, que ses jambes lui manquaient, et qu'il se jeta sur ses genoux, comme pour se recommander à Dieu.

Il resta comme cela un peu de temps, n'ayant ni force ni courage pour aller dire à quelqu'un ce dont il était si
30 fort angoissé, et regardant la rivière avec des yeux tout gros de larmes, comme s'il voulait lui demander compte de ce qu'elle avait fait de son frère.

Et, pendant ce temps-là, la rivière coulait bien tranquillement, frétillant sur les branches qui pendaient et trempaient le long des rives, et s'en allant dans les terres, avec un petit bruit, comme quelqu'un qui rit et se moque à la sourdine.

Le pauvre Landry se laissa gagner et surmonter par son idée de malheur, si fort qu'il en perdait l'esprit, et que, d'une petite apparence qui pouvait bien ne rien présager, il se faisait une affaire à désespérer du bon Dieu.

— Cette méchante rivière qui ne dit mot, pensait-il, et qui me laisserait bien pleurer un an sans me rendre mon frère, est justement là au plus creux, et il y est tombé tant de cosses d'arbres depuis le temps qu'elle ruine le pré, que si on y entrait on ne pourrait jamais s'en retirer. Mon Dieu ! faut-il que mon pauvre besson soit peut-être là, tout au fond de l'eau, couché à deux pas de moi, sans que je puisse le voir ni le retrouver dans les branches et dans les roseaux, quand même j'essaierais d'y descendre !

Là-dessus il se mit à pleurer son frère et à lui faire des reproches; et jamais de sa vie il n'avait eu un pareil chagrin.

Enfin l'idée lui vint d'aller consulter une femme veuve, qu'on appelait la mère Fadet, et qui demeurait tout au bout de la Joncière, rasibus du chemin qui descend au gué. Cette femme, qui n'avait ni terre ni avoir autre que son petit jardin et sa petite maison, ne cherchait pourtant point son pain, à cause de beaucoup de connaissance qu'elle avait sur les maux et dommages du monde; et, de tous côtés, on venait la consulter. Elle pansait *du secret*, c'est comme qui dirait qu'au moyen du *secret*, elle guérissait les blessures, foulures et autres estropisons. Elle s'en faisait bien un peu accroire,[1] car elle vous ôtait

des maladies que vous n'aviez jamais eues, telles que le décrochement de l'estomac ou la chute de la toile du ventre, et pour ma part, je n'ai jamais ajouté foi entière à tous ces accidents-là, non plus que je n'accorde grande
5 croyance à ce qu'on disait d'elle, qu'elle pouvait faire passer le lait d'une bonne vache dans le corps d'une mauvaise, tant vieille et mal nourrie fût-elle.[1]

Mais pour ce qui est des bons remèdes qu'elle connaissait et qu'elle appliquait au refroidissement du corps,
10 que nous appelons *sanglaçure;* pour les emplâtres souverains qu'elle mettait sur les coupures et brûlures; pour les boissons qu'elle composait à l'encontre de la fièvre, il n'est point douteux qu'elle gagnait bien son argent et qu'elle a guéri nombre de malades que les médecins
15 auraient fait mourir si l'on avait essayé de leurs remèdes. Du moins elle le disait, et ceux qu'elle avait sauvés aimaient mieux la croire que de s'y risquer.

Comme, dans la campagne, on n'est jamais savant sans être quelque peu sorcier, beaucoup pensaient que la mère
20 Fadet en savait encore plus long[2] qu'elle ne voulait le dire, et on lui attribuait de pouvoir faire retrouver les choses perdues, mêmement les personnes; enfin, de ce qu'elle avait beaucoup d'esprit et de raisonnement pour vous aider à sortir de peine dans beaucoup de choses
25 possibles, on inférait qu'elle pouvait en faire d'autres qui ne le sont pas.

Comme les enfants écoutent volontiers toutes sortes d'histoires, Landry avait ouï dire à la Priche, où le monde est notoirement crédule et plus simple qu'à la Cosse, que
30 la mère Fadet au moyen d'une certaine graine qu'elle jetait sur l'eau en disant des paroles, pouvait faire retrouver le corps d'une personne noyeé. La graine sur-

nageait et coulait le long de l'eau, et, là où on la voyait s'arrêter, on était sûr de retrouver le pauvre corps. Il y en a beaucoup qui pensent que le pain bénit a la même vertu, et il n'est guère de moulins où on n'en conserve toujours à cet effet. Mais Landry n'en avait point, la mère Fadet demeurait tout à côté de la Joncière, et le chagrin ne donne pas beaucoup de raisonnement.

Le voilà donc de courir [1] jusqu'à la demeurance de la mère Fadet et de lui conter sa peine en la priant de venir jusqu'à la coupure avec lui, pour essayer par son secret de lui faire retrouver son frère, vivant ou mort.

Mais la mère Fadet, qui n'aimait point à se voir outrepassée de sa réputation, et qui n'exposait pas volontiers son talent pour rien, se gaussa de lui et le renvoya même assez durement, parce qu'elle n'était pas contente que, dans le temps, on eût employé la Sagette à sa place, pour les femmes au logis de la Bessonnière.

Landry, qui était un peu fier de son naturel, se serait peut-être plaint ou fâché dans un autre moment, mais il était si accablé qu'il ne dit mot et s'en retourna [2] du côté de la coupure, décidé à se mettre à l'eau, bien qu'il ne sût encore plonger ni nager. Mais, comme il marchait la tête basse et les yeux fichés en terre, il sentit quelqu'un qui lui tapait l'épaule, et se retournant il vit la petite-fille de la mère Fadet, qu'on appelait dans le pays la petite Fadette, autant pour ce que c'était son nom de famille que pour ce qu'on voulait qu'elle fût un peu sorcière aussi. Vous savez tous que le fadet ou le farfadet, qu'en d'autres endroits on appelle aussi le follet, est un lutin fort gentil, mais un peu malicieux. On appelle aussi fades les fées auxquelles, du côté de chez nous,[3] on ne croit plus guère. Mais que cela voulût dire une petite fée, ou la femelle du lutin, chacun en la voyant s'imaginait voir le follet, tant elle était petite, maigre, ébouriffée et hardie. C'était un enfant très causeur et très moqueur, vif comme un papillon, curieux comme un rouge-gorge et noir comme un grelet.

Et quand je mets la petite Fadette en comparaison avec un grelet, c'est vous dire qu'elle n'était pas belle, car ce pauvre petit *cricri* des champs est encore plus laid que celui des cheminées. Pourtant, si vous vous souvenez d'avoir été enfant et d'avoir joué avec lui en le faisant enrager et crier dans votre sabot, vous devez savoir qu'il a une petite figure qui n'est pas sotte, et qui donne plus envie de rire que de se fâcher: aussi les enfants de la Cosse, qui ne sont pas plus bêtes que d'autres, et qui, aussi bien que les autres, observent les ressemblances et trouvent les comparaisons, appelaient-ils la petite Fadette le *grelet*, quand ils voulaient la faire enrager, mêmement quelquefois par manière d'amitié; car en la craignant un peu pour sa malice, ils ne la détestaient point, à cause qu'elle leur faisait toutes sortes de contes et leur apprenait toujours des jeux nouveaux qu'elle avait l'esprit d'inventer.

Mais tous ses noms et surnoms me feraient bien oublier celui qu'elle avait reçu au baptême et que vous auriez peut-être plus tard envie de savoir. Elle s'appelait Françoise; c'est pourquoi sa grand'mère, qui n'aimait point à changer les noms, l'appelait toujours Fanchon.

Comme il y avait depuis longtemps une pique entre les gens de la Bessonnière et la mère Fadet, les bessons ne parlaient pas beaucoup à la petite Fadette, mêmement ils avaient comme un éloignement pour elle, et n'avaient jamais bien volontiers joué avec elle, ni avec son petit frère, le *sauteriot*, qui était encore plus sec et plus malin qu'elle, et qui était toujours pendu à son côté, se fâchant quand elle courait sans l'attendre, essayant de lui jeter des pierres quand elle se moquait de lui, enrageant plus qu'il n'était gros et la faisant enrager plus qu'elle ne voulait, car elle était d'humeur gaie et portée à rire de tout. Mais il y avait une telle idée sur le compte de la mère Fadet, que certains, et notamment ceux du père Barbeau, s'imaginaient que le *grelet* et le *sauteriot*, ou, si vous l'aimez mieux, le grillon et la sauterelle, leur porteraient malheur s'ils faisaient amitié avec eux. Ça n'empêchait point ces deux enfants de leur parler, car ils n'étaient point honteux, et la petite Fadette ne manquait d'accoster les *bessons de la Bessonnière*, par toutes sortes de drôleries et de sornettes, du plus loin qu'elle les voyait venir de son côté.

VII

Adoncques[1] le pauvre Landry, en se retournant, un peu ennuyé du coup qu'il venait de recevoir à l'épaule, vit la petite Fadette, et, pas loin derrière elle, Jeanet le sauteriot, qui la suivait en clopant, vu qu'il était ébiganché et mal jambé de naissance.

D'abord Landry voulut ne pas faire attention et continuer son chemin, car il n'était point en humeur de rire, mais la Fadette lui dit, en récidivant sur son autre épaule: « Au loup ! au loup ! Le vilain besson, moitié de gars qui a perdu son autre moitié ! »

Là-dessus Landry, qui n'était pas plus en train d'être insulté que d'être taquiné, se retourna derechef et allongea à la petite Fadette un coup de poing qu'elle eût bien senti

si elle ne l'eût esquivé, car le besson allait sur ses quinze ans, et il n'était pas manchot: et elle, qui allait sur ses quatorze, et si menue et si petite, qu'on ne lui en eût pas donné douze, et qu'à la voir on eût cru qu'elle allait se
5 casser, pour peu qu'on y touchât.

Mais elle était trop avisée et trop alerte pour attendre les coups, et ce qu'elle perdait en force dans les jeux de mains, elle le gagnait en vitesse et en traîtrise. Elle sauta de côté si à point, que pour bien peu Landry aurait été
10 donner du poing et du nez dans [1] un gros arbre qui se trouvait entre eux.

— Méchant grelet, lui dit alors le pauvre besson tout en colère, il faut que tu n'aies pas de cœur pour venir agacer un quelqu'un [2] qui est dans la peine comme j'y
15 suis. Il y a longtemps que tu veux m'émalicer en m'appelant moitié de garçon. J'ai bien envie aujourd'hui de vous casser en quatre, toi et ton vilain sauteriot, pour voir si, à vous deux, vous ferez le quart de quelque chose de bon.

20 — Oui-da, le beau besson de la Bessonnière, seigneur de la Joncière au bord de la rivière, répondit la petite Fadette en ricanant toujours, vous êtes bien sot de vous mettre mal avec moi qui venais vous donner des nouvelles de votre besson et vous dire où vous le retrouverez.

25 — Ça, c'est différent, reprit Landry en s'apaisant bien vite; si tu le sais, Fadette, dis-le-moi, et j'en serai content.

— Il n'y a pas plus de Fadette que de grelet pour avoir envie [3] de vous contenter à cette heure, répliqua encore la petite fille. Vous m'avez dit des sottises, et vous m'auriez
30 frappée si vous n'étiez pas si lourd et si pôtu. Cherchez-le donc tout seul, votre imbriaque de besson, puisque vous êtes si savant pour le retrouver.

— Je suis bien sot de t'écouter, méchante fille, dit alors Landry en lui tournant le dos et en se remettant à marcher. Tu ne sais pas plus que moi où est mon frère, et tu n'es pas plus savante là-dessus que ta grand'mère, qui est une vieille menteuse et une pas grand'chose. 5

Mais la petite Fadette, tirant par une patte son sauteriot, qui avait réussi à la rattraper et à se pendre à son mauvais jupon tout cendroux, se mit à suivre Landry, toujours ricanant et toujours lui disant que sans elle il ne retrouverait jamais son besson. Si bien que Landry, ne 10 pouvant se débarrasser d'elle, et s'imaginant que, par quelque sorcellerie, sa grand'mère ou peut-être elle-même, par quelque accointance avec le follet de la rivière, l'empêcheraient de retrouver Sylvinet, prit son parti de tirer en sus de la Joncière et de s'en revenir à la maison. 15

La petite Fadette le suivit jusqu'au sautoir du pré, et là, quand il l'eut descendu, elle se percha comme une pie sur la barre, et lui cria: « Adieu donc, le beau besson sans cœur, qui laisse son frère derrière lui. Tu auras beau l'attendre pour souper, tu ne le verras pas d'aujourd'hui 20 ni de demain non plus; car là où il est, il ne bouge non plus qu'une pauvre pierre, et voilà l'orage qui vient. Il y aura des arbres dans la rivière encore cette nuit, et la rivière emportera Sylvinet si loin, si loin, que jamais plus tu ne le retrouveras. » 25

Toutes ces mauvaises paroles, que Landry écoutait quasi malgré lui, lui firent passer la sueur froide par tout le corps. Il n'y croyait pas absolument, mais enfin la famille Fadet était réputée avoir tel entendement avec le diable, qu'on ne pouvait pas être bien assuré qu'il n'en 30 fût rien.

— Allons, Fanchon, dit Landry en s'arrêtant, veux-tu,

oui ou non, me laisser tranquille, ou me dire, si, de vrai, tu sais quelque chose de mon frère ?

— Et qu'est-ce que tu me donneras si, avant que la pluie ait commencé de tomber, je te le fais retrouver ? dit la Fadette en se dressant debout sur la barre du sautoir, et en remuant les bras comme si elle voulait s'envoler.

Landry ne savait pas ce qu'il pouvait lui promettre, et il commençait à croire qu'elle voulait l'affiner pour lui tirer quelque argent. Mais le vent qui soufflait dans les arbres et le tonnerre qui commençait à gronder lui mettaient dans le sang comme une fièvre de peur. Ce n'est pas qu'il craignît l'orage, mais, de fait, cet orage-là était venu tout d'un coup et d'une manière qui ne lui paraissait pas naturelle. Possible est que, dans son tourment, Landry ne l'eût pas vu monter derrière les arbres de la rivière, d'autant plus que se tenant depuis deux heures dans le fond du Val, il n'avait pu voir le ciel que dans le moment où il avait gagné le haut. Mais, en fait, il ne s'était avisé de l'orage qu'au moment où la petite Fadette le lui avait annoncé, et tout aussitôt, son jupon s'était enflé ; ses vilains cheveux noirs sortant de sa coiffe, qu'elle avait toujours mal attachée, et quintant sur une oreille, s'étaient dressés comme des crins ; le sauteriot avait eu sa casquette emportée par un grand coup de vent, et c'était à grand'peine que Landry avait pu empêcher son chapeau de s'envoler aussi.

Et puis le ciel, en deux minutes, était devenu tout noir, et la Fadette, debout sur la barre, lui paraissait deux fois plus grande qu'à l'ordinaire ; enfin Landry avait peur, il faut bien le confesser.

— Fanchon, lui dit-il, je me rends à toi, si tu me rends mon frère. Tu l'as peut-être vu ; tu sais peut-être bien où il est. Sois bonne fille. Je ne sais pas quel amusement tu peux trouver dans ma peine. Montre-moi ton bon cœur, et je croirai que tu vaux mieux que ton air et tes paroles.

— Et pourquoi serais-je bonne fille pour toi? reprit-elle, quand tu me traites de méchante sans que je t'aie jamais fait de mal! Pourquoi aurais-je bon cœur pour deux bessons qui sont fiers comme deux coqs, et qui ne m'ont jamais montré la plus petite amitié?

— Allons, Fadette, reprit Landry, tu veux que je te promette quelque chose; dis-moi vite de quoi tu as envie et je te le donnerai. Veux-tu mon couteau neuf?

— Fais-le voir, dit la Fadette en sautant comme une grenouille à côté de lui.

Et quand elle eut vu le couteau, qui n'était pas vilain et que le parrain de Landry avait payé dix sous à la dernière foire, elle en fut tentée un moment; mais bientôt, trouvant que c'était trop peu, elle lui demanda s'il lui donnerait bien plutôt sa petite poule blanche, qui n'était pas plus grosse qu'un pigeon, et qui avait des plumes jusqu'au bout des doigts.

— Je ne peux pas te promettre ma poule blanche, parce qu'elle est à ma mère, répondit Landry; mais je te promets de la demander pour toi, et je répondrais que ma mère ne la refusera pas, parce qu'elle sera si contente de revoir Sylvinet, que rien ne lui coûtera[1] pour te récompenser.

— Oui-da! reprit la petite Fadette, et si j'avais envie de votre chebril à nez noir, la mère Barbeau me le donnerait-elle aussi?

— Mon Dieu! mon Dieu! que tu es donc longue à te décider, Fanchon! Tiens, il n'y a qu'un mot qui serve: si mon frère est dans le danger et que tu me conduises tout de suite auprès de lui, il n'y a pas à notre logis de poule ni de poulette, de chèvre ni de chevrillon que mon père et ma mère, j'en suis très certain, ne voulussent te donner en remercîment.

5 —Eh bien! nous verrons ça, Landry, dit la petite Fadette en tendant sa petite main sèche au besson, pour qu'il y mît la sienne en signe d'accord, ce qu'il ne fit pas sans trembler un peu, car, dans ce moment-là, elle avait des yeux si ardents qu'on eût dit le lutin en personne. Je 10 ne te dirai pas à présent ce que je veux de toi, je ne le sais peut-être pas encore, mais souviens-toi bien de ce que tu me promets à cette heure, et si tu y manques, je ferai savoir à tout le monde qu'il n'y a pas de fiance à avoir dans la parole du besson Landry. Je te dis adieu ici, et 15 n'oublie point que je ne te réclamerai rien jusqu'au jour où je me serai décidée à t'aller trouver pour te requérir d'une chose qui sera à mon commandement et que tu feras sans retard ni regret.

—A la bonne heure! Fadette, c'est promis, c'est signé, 20 dit Landry en lui tapant dans la main.

—Allons! dit-elle d'un air tout fier et tout content, retourne de ce pas au bord de la rivière; descends-la jusqu'à ce que tu entendes bêler; et où tu verras un agneau bureau, tu verras aussitôt ton frère: si cela n'arrive 25 pas comme je te le dis, je te tiens quitte de ta parole.

Là-dessus le grelet, prenant le sauteriot sous son bras, sans faire attention que la chose ne lui plaisait guère et qu'il se démenait comme une anguille, sauta tout au milieu des buissons, et Landry ne les vit et ne les entendit non 30 plus que s'il avait rêvé. Il ne perdit point de temps à se demander si la petite Fadette s'était moquée de lui. Il courut d'une haleine jusqu'au bas de la Joncière; il la suivit jusqu'à la coupure, et là, il allait passer outre sans y descendre, parce qu'il avait assez questionné l'endroit pour être assuré que Sylvinet n'y était point; mais, comme il allait s'en éloigner, il entendit bêler un agneau.

— Dieu de mon âme, pensa-t-il, cette fille m'a annoncé 5 la chose; j'entends l'agneau, mon frère est là. Mais s'il est mort ou vivant, je ne peux le savoir.

Et il sauta dans la coupure et entra dans les broussailles. Son frère n'y était point; mais, en suivant le fil de l'eau, à dix pas de là, et toujours entendant l'agneau bêler, 10 Landry vit sur l'autre rive son frère assis, avec un petit agneau qu'il tenait dans sa blouse, et qui, pour le vrai, était bureau de couleur depuis le bout du nez jusqu'au bout de la queue.

Comme Sylvinet était bien vivant et ne paraissait gâté 15 ni déchiré dans sa figure et dans son habillement, Landry fut si aise qu'il commença par remercier le bon Dieu dans son cœur, sans songer à lui demander pardon d'avoir eu recours à la science du diable pour avoir ce bonheur-là. Mais, au moment où il allait appeler Sylvinet, qui ne le 20 voyait pas encore, et ne faisait pas mine de l'entendre, à cause du bruit de l'eau qui grouillait fort sur les cailloux en cet endroit, il s'arrêta à le regarder; car il était étonné de le trouver comme la petite Fadette le lui avait prédit, tout au milieu des arbres que le vent tourmentait furieuse- 25 ment, et ne bougeant non plus qu'une pierre.

Chacun sait pourtant qu'il y a danger à rester au bord de notre rivière quand le grand vent se lève. Toutes les rives sont minées en dessous, et il n'est point d'orage qui, dans la quantité,[1] ne déracine quelques-uns de ces vergnes 30 qui sont toujours courts en racines, à moins qu'ils ne soient très gros et très vieux, et qui vous tomberaient fort bien sur le corps sans vous avertir. Mais Sylvinet, qui n'était pourtant ni plus simple ni plus fou qu'un autre, ne paraissait pas tenir compte du danger. Il n'y pensait pas plus que s'il se fût trouvé à l'abri dans une bonne grange. 5 Fatigué de courir tout le jour et de vaguer à l'aventure, si, par bonheur, il ne s'était pas noyé dans la rivière, on pouvait toujours bien dire qu'il s'était noyé dans son chagrin et dans son dépit, au point de rester là comme une souche, les yeux fixés sur le courant de l'eau, la figure 10 aussi pâle qu'une fleur de nape, la bouche à demi ouverte comme un petit poisson qui bâille au soleil, les cheveux tout emmêlés par le vent, et ne faisant pas même attention à son petit agneau, qu'il avait rencontré égaré dans les prés, et dont il avait eu pitié. Il l'avait bien pris dans 15 sa blouse pour le rapporter à son logis; mais, chemin faisant, il avait oublié de demander à qui [1] l'agneau perdu. Il l'avait là sur ses genoux, et le laissait crier sans l'entendre, malgré que le pauvre petit lui faisait une voix désolée et regardait tout autour de lui avec de gros yeux 20 clairs étonné de ne pas être écouté de quelqu'un de son espèce, et ne reconnaissant ni son pré, ni sa mère, ni son étable, dans cet endroit tout ombragé et tout herbu, devant un gros courant d'eau qui, peut-être bien,[2] lui faisait grand'peur.

VIII

25 Si Landry n'eût pas été séparé de Sylvinet par la rivière qui n'est large, dans tout son parcours, de plus de quatre ou cinq mètres (comme on dit dans ces temps nouveaux), mais qui est, par endroits, aussi creuse que large, il eût, pour sûr, sauté sans plus de réflexion au cou de son frère. Mais Sylvinet ne le voyant même pas, il eut le temps de

penser à la manière dont il l'éveillerait de sa rêvasserie, et dont, par persuasion, il le ramènerait à la maison; car si ce n'était pas l'idée de ce pauvre boudeur, il pouvait bien tirer d'un autre côté, et Landry n'aurait pas de si tôt trouvé un gué ou une passerelle pour aller le rejoindre. 5

Landry ayant donc un peu songé en lui-même, se demanda comment son père, qui avait de la raison et de la prudence pour quatre, agirait en pareille rencontre; et il s'avisa bien à propos que le père Barbeau s'y prendrait tout doucement et sans faire semblant de rien, pour ne 10 pas montrer à Sylvinet combien il avait causé d'angoisse, et ne lui occasionner trop de repentir, ni l'encourager trop à recommencer dans un autre jour de dépit.

Il se mit donc à siffler comme s'il appelait les merles pour les faire chanter, ainsi que font les pâtours quand ils 15 suivent les buissons à la nuit tombante. Cela fit lever la tête à Sylvinet, et, voyant son frère, il eut honte et se leva vivement, croyant n'avoir pas été vu. Alors Landry fit comme s'il l'apercevait, et lui dit sans beaucoup crier, car la rivière ne chantait pas assez haut pour empêcher de 20 s'entendre:

— Hé, mon Sylvinet, tu es donc là? Je t'ai attendu tout ce matin, et, voyant que tu étais sorti pour si longtemps, je suis venu me promener par ici, en attendant le souper où je comptais bien te retrouver à la maison; mais puisque 25 te voilà, nous rentrerons ensemble. Nous allons descendre la rivière, chacun sur une rive, et nous nous joindrons au gué des Roulettes. (C'était le gué qui se trouvait au droit de la maison à la mère Fadet.)

(Les deux frères rentrent ensemble, tout occupés de leurs propres pensées. Aucune explication n'a lieu entre eux, ni en chemin, ni chez eux.)

Le lendemain, Sylvinet courut au lit de la mère Barbeau avant qu'elle fût levée, et, lui ouvrant son cœur, lui confessa son regret et sa honte. Il lui conta comme quoi [1] il se trouvait bien malheureux depuis quelque temps, non plus tant [2] à cause qu'il était séparé de Landry, que parce qu'il s'imaginait que Landry ne l'aimait point. Et quand sa mère le questionna sur cette injustice, il fut bien empêché de la motiver, car c'était en lui comme une maladie dont il ne se pouvait défendre. La mère le comprenait mieux qu'elle ne voulait en avoir l'air, parce que le cœur d'une femme est aisément pris de ces tourments-là, et elle-même s'était souvent ressentie de souffrir en voyant Landry si tranquille dans son courage et dans sa vertu. Mais, cette fois, elle reconnaissait que la jalousie est mauvaise dans tous les amours, même dans ceux que Dieu nous commande le plus, et elle se garda bien d'y encourager Sylvinet. Elle lui fit ressortir la peine qu'il avait causée à son frère, et la grande bonté que son frère avait eue de ne pas s'en plaindre ni s'en montrer choqué. Sylvinet le reconnut aussi et convint que son frère était meilleur chrétien que lui. Il fit promesse et forma résolution de se guérir, et sa volonté y était sincère.

(Il reste toujours au cœur de Sylvinet un levain d'amertume. Cependant il est devenu plus raisonnable. Les jumeaux ont maintenant quinze ans, Landry de beaucoup le plus fort et le plus grand des deux.)

IX

Dans les premiers temps qui ensuivirent l'aventure de Landry avec la petite Fadette, ce garçon eut quelque souci de la promesse qu'il lui avait faite. Dans le moment où elle l'avait sauvé de son inquiétude, il se serait engagé pour ses père et mère [1] à donner tout ce qu'il y avait de meilleur à la Bessonnière: mais quand il vit que le père Barbeau n'avait pas pris bien au sérieux la bouderie de Sylvinet et n'avait point montré d'inquiétude, il craignit 5 bien que, lorsque la petite Fadette viendrait réclamer sa récompense, son père ne la mît à la porte en se moquant de sa belle science et de la belle parole que Landry lui avait donnée.

Cette peur-là rendait Landry tout honteux en lui- 10 même, et à mesure que son chagrin s'était dissipé, il s'était jugé bien simple d'avoir cru voir de la sorcellerie dans ce qui lui était arrivé. Il ne tenait pas pour certain que la petite Fadette se fût gaussée de lui, mais il sentait bien qu'on pouvait avoir du doute là-dessus, et il ne 15 trouvait pas de bonnes raisons à donner à son père pour lui prouver qu'il avait bien fait de prendre un engagement de si grosse conséquence; d'un autre côté, il ne voyait pas non plus comment il romprait un pareil engagement, car il avait juré sa foi et il l'avait fait en âme et conscience. 20

Mais, à son grand étonnement, ni le lendemain de l'affaire, ni dans le mois, ni dans la saison, il n'entendit parler de la petite Fadette à la Bessonnière ni à la Priche. Elle ne se présenta ni chez le père Caillaud pour demander à parler à Landry, ni chez le père Barbeau pour réclamer 25 aucune chose, et lorsque Landry la vit au loin dans les champs, elle n'alla point de son côté et ne parut point faire attention à lui, ce qui était contre sa coutume, car elle courait après tout le monde, soit pour regarder par curiosité, soit pour rire, jouer et badiner avec ceux qui 30 étaient de bonne humeur, soit pour tancer et railler ceux qui ne l'étaient point.

Mais la maison de la mère Fadet étant également voisine de la Priche et de la Cosse, il ne se pouvait faire qu'un jour ou l'autre, Landry ne se trouvât nez contre nez avec la petite Fadette dans un chemin; et, quand le 5 chemin n'est pas large, c'est bien force de se donner une tape ou de se dire un mot en passant.

C'était un soir que la petite Fadette rentrait ses oies, ayant toujours son sauteriot sur ses talons; et Landry, qui avait été chercher les juments au pré, les ramenait 10 tout tranquillement à la Priche, si bien qu'ils se croisèrent dans le petit chemin qui descend de la Croix des bossons,[1] au gué des Roulettes, et qui est si bien fondu entre deux encaissements, qu'il n'y est point moyen de s'éviter. Landry devint tout rouge, pour la peur qu'il avait de 15 s'entendre sommer de sa parole, et, ne voulant point encourager la Fadette, il sauta sur une des juments du plus loin qu'il la vit, et joua des sabots[2] pour prendre le trot; mais comme toutes les juments avaient les enfarges aux pieds, celle qu'il avait enfourchée n'avança pas plus 20 vite pour cela. Landry se voyant tout près de la petite Fadette, n'osa la regarder, et fit mine de se retourner, comme pour voir si les poulains le suivaient. Quand il regarda devant lui, la Fadette l'avait déjà dépassé, et elle ne lui avait rien dit; il ne savait même point si elle 25 l'avait regardé, et si des yeux ou du rire elle l'avait sollicité de lui dire bonsoir. Il ne vit que Jeanet le sauteriot qui, toujours traversieux et méchant, ramassa une pierre pour la jeter dans les jambes de sa jument. Landry eut bonne envie de lui allonger un coup de fouet, mais il 30 eut peur de s'arrêter et d'avoir explication avec la sœur. Il ne fit donc pas mine de s'en apercevoir et s'en fut[3] sans regarder derrière lui.

Toutes les autres fois que Landry rencontra la petite Fadette, ce fut à peu près de même. Peu à peu, il s'enhardit à la regarder; car, à mesure que l'âge et la raison lui venaient, il ne s'inquiétait plus tant d'une si petite affaire. Mais lorsqu'il eut pris le courage de la regarder 5 tranquillement, comme pour attendre n'importe quelle chose elle voudrait lui dire, il fut étonné de voir que cette fille faisait exprès de tourner la tête[1] d'un autre côté, comme si elle eût eu de lui la même peur qu'il avait d'elle. Cela l'enhardit tout à fait vis-à-vis de lui-même, 10 et, comme il avait le cœur juste, il se demanda s'il n'avait pas eu grand tort de ne jamais la remercier du plaisir que, soit par science, soit par hasard, elle lui avait causé. Il prit la résolution de l'aborder la première fois qu'il la verrait, et ce moment-là étant venu, il fit au moins dix 15 pas de son côté pour commencer à lui dire bonjour et à causer avec elle.

Mais, comme il s'approchait, la petite Fadette prit un air fier et quasi fâché; et se décidant enfin à le regarder, elle le fit d'une manière si méprisante, qu'il en fut tout 20 démonté et n'osa point lui porter la parole.

Ce fut la dernière fois de l'année que Landry la rencontra de près, car à partir de ce jour-là, la petite Fadette, menée par je ne sais pas quelle fantaisie, l'évita si bien, que du plus loin qu'elle le voyait, elle tournait d'un autre côté, 25 entrait dans un héritage ou faisait un grand détour pour ne point le voir. Landry pensa qu'elle était fâchée de ce qu'il avait été ingrat envers elle; mais sa répugnance était si grande qu'il ne sut se décider à rien tenter pour réparer son tort. La petite Fadette n'était pas un enfant 30 comme un autre. Elle n'était pas ombrageuse de son naturel, et même, elle ne l'était pas assez, car elle aimait

à provoquer les injures ou les moqueries, tant elle se sentait la langue bien affilée pour y répondre et avoir toujours le dernier et le plus piquant mot. On ne l'avait jamais vue bouder et on lui reprochait de manquer de la
5 fierté qui convient à une fillette lorsqu'elle prend déjà quinze ans et commence à se ressentir d'être quelque chose. Elle avait toujours les allures d'un gamin, mêmement elle affectait de tourmenter souvent Sylvinet, de le déranger et de le pousser à bout, lorsqu'elle le surprenait
10 dans les rêvasseries où il s'oubliait encore quelquefois. Elle le suivait toujours pendant un bout de chemin, lorsqu'elle le rencontrait; se moquant de sa *bessonnerie*,[1] et lui tourmentant le cœur en lui disant que Landry ne l'aimait point et se moquait de sa peine. Aussi le pauvre
15 Sylvinet qui, encore plus que Landry, la croyait sorcière, s'étonnait-il qu'elle devinât ses pensées et la détestait bien cordialement. Il avait du mépris pour elle et pour sa famille, et, comme elle évitait Landry, il évitait ce méchant grelet, qui, disait-il, suivrait tôt ou tard l'exemple
20 de sa mère, laquelle avait mené une mauvaise conduite, quitté son mari et finalement suivi les soldats. Elle était partie comme vivandière peu de temps après la naissance du sauteriot, et, depuis, on n'en avait jamais entendu parler. Le mari était mort de chagrin et de honte, et
25 c'est comme cela que la vieille mère Fadet avait été obligée de se charger des deux enfants, qu'elle soignait fort mal, tant à cause de sa chicherie que de son âge avancé, qui ne lui permettait guère de les surveiller et de les tenir proprement.

30 Pour toutes ces raisons, Landry, qui n'était pourtant pas aussi fier que Sylvinet, se sentait du dégoût pour la petite Fadette, et, regrettant d'avoir eu des rapports

avec elle, il se gardait bien de le faire connaître à personne. Il le cacha même à son besson, ne voulant pas lui confesser l'inquiétude qu'il avait eue à son sujet; et, de son côté, Sylvinet lui cacha toutes les méchancetés de la petite Fadette envers lui, ayant honte de dire qu'elle avait eu 5 divination de sa jalousie.

Mais le temps se passait. A l'âge qu'avaient nos bessons, les semaines sont comme des mois et les mois comme des ans, pour le changement qu'ils amènent dans le corps et dans l'esprit. Bientôt Landry oublia son 10 aventure, et, après s'être un peu tourmenté du souvenir de la Fadette, n'y pensa non plus que s'il en eût fait le rêve.

Il y avait déjà environ dix mois que Landry était entré à la Priche, et on approchait de la Saint-Jean, qui 15 était l'époque de son engagement avec le père Caillaud. Ce brave homme était si content de lui qu'il était bien décidé à lui augmenter son gage plutôt que de le voir partir; et Landry ne demandait pas mieux que de rester dans le voisinage de sa famille et de renouveler avec les 20 gens de la Priche, qui lui convenaient beaucoup. Mêmement, il se sentait venir une petite amitié pour une nièce du père Caillaud qui s'appelait Madelon et qui était un beau brin de fille. Elle avait un an de plus que lui et le traitait encore un peu comme un enfant; mais cela dimi- 25 nuait de jour en jour, et, tandis qu'au commencement de l'année elle se moquait de lui lorsqu'il avait honte de l'embrasser aux jeux ou à la danse, sur la fin, elle rougissait au lieu de le provoquer, elle ne restait plus seule avec lui dans l'étable ou dans le fenil. La Madelon n'était point 30 pauvre, et un mariage entre eux eût bien pu s'arranger par la suite du temps. Les deux familles étaient bien famées et tenues en estime par tout le pays. Enfin, le père Caillaud, voyant ces deux enfants qui commençaient à se chercher et à se craindre, disait au père Barbeau que ça pourrait bien faire un beau couple, et qu'il n'y avait point de mal à leur laisser faire bonne et longue connaissance.

(Tout marche bien pendant trois mois jusqu'à la fête de Saint-Andoche.)

Le père Caillaud ayant donné licence à Landry d'aller dès la veille coucher à la Bessonnière, afin de voir la fête sitôt le matin, Landry partit avant souper, bien content d'aller surprendre son besson qui ne l'attendait que le lendemain. C'est la saison où les jours commencent à être courts et où la nuit tombe vite. Landry n'avait jamais peur de rien en plein jour: mais il n'eût pas été de son âge et de son pays s'il avait aimé à se trouver seul la nuit sur les chemins, surtout dans l'automne, qui est une saison où les sorciers et les follets commencent à se donner du bon temps,[1] à cause des brouillards qui les aident à cacher leurs malices et maléfices. Landry, qui avait coutume de sortir seul à toute heure pour mener ou rentrer ses bœufs, n'avait pas précisément grand souci, ce soir-là, plus qu'un autre soir; mais il marchait vite et chantait fort, comme on fait toujours quand le temps est noir, car on sait que le chant de l'homme dérange et écarte les mauvaises bêtes et les mauvaises gens.

Quand il fut au droit du gué des Roulettes, qu'on appelle de cette manière à cause des cailloux ronds qui s'y trouvent en grande quantité, il releva un peu les jambes de son pantalon; car il pouvait y avoir de l'eau jusqu'au-dessus de la cheville du pied, et il fit bien attention à ne pas marcher devant lui, parce que le gué est établi en biaisant, et qu'à droite comme à gauche il y a de mauvais trous. Landry connaissait si bien le gué qu'il ne pouvait guère s'y tromper. D'ailleurs on voyait de là, à travers les arbres qui étaient plus d'à moitié dépouillés de feuilles, 5 la petite clarté qui sortait de la maison de la mère Fadet; et en regardant cette clarté, pour peu qu'on marchât dans la direction, il n'y avait point chance de faire mauvaise route.

Il faisait si noir sous les arbres, que Landry tâta pour- 10 tant le gué avec son bâton avant d'y entrer. Il fut étonné de trouver plus d'eau que de coutume, d'autant plus qu'il entendait le bruit des écluses qu'on avait ouvertes depuis une bonne heure. Pourtant, comme il voyait bien la lumière de la croisée à la Fadette,[1] il se risqua. Mais, au 15 bout de deux pas, il avait de l'eau plus haut que le genou et il se retira, jugeant qu'il s'était trompé. Il essaya un peu plus haut et un peu plus bas, et, là comme là, il trouva le creux encore davantage. Il n'avait pas tombé de pluie, les écluses grondaient toujours: la chose était donc bien 20 surprenante.

X

— Il faut, pensa Landry, que j'aie pris le faux chemin de la charrière, car, pour le coup, je vois à ma droite la chandelle de la Fadette, qui devrait être sur ma gauche.

Il remonta le chemin jusqu'à la Croix-au-Lièvre,[2] et il 25 en fit le tour les yeux fermés pour se désorienter[3]; et quand il eut bien remarqué les arbres et les buissons autour de lui, il se trouva dans le bon chemin et revint jouxte à la rivière. Mais bien que le gué lui parût commode, il n'osa point y faire plus de trois pas, parce qu'il vit tout d'un coup, presque derrière lui, la clarté de la maison Fadette, qui aurait dû être juste en face. Il revint à la rive, et cette clarté lui parut être alors comme elle devait se trouver. Il reprit le gué en biaisant dans un autre sens, et cette fois, il eut de l'eau presque jusqu'à la ceinture. Il avançait toujours cependant, augurant qu'il avait rencontré un trou, mais qu'il allait en sortir en marchant vers la lumière.

Il fit bien de s'arrêter, car le trou se creusait toujours, et il en avait jusqu'aux épaules. L'eau était bien froide, et il resta un moment à se demander s'il reviendrait sur ses pas; car la lumière lui paraissait avoir changé de place, et mêmement il la vit remuer, courir, sautiller, repasser d'une rive à l'autre, et finalement se montrer double en se mirant dans l'eau, où elle se tenait comme un oiseau qui se balance sur ses ailes, et en faisant entendre un petit bruit de grésillement comme ferait une pétrole de résine.

Cette fois Landry eut peur et faillit perdre la tête, et il avait ouï dire qu'il n'y a rien de plus abusif et de plus méchant que ce feu-là; qu'il se faisait un jeu d'égarer ceux qui le regardent et de les conduire au plus creux des eaux, tout en riant à sa manière et en se moquant de leur angoisse.

Landry ferma les yeux pour ne point le voir, et se retournant vivement, à tout risque, il sortit du trou, et se retrouva au rivage. Il se jeta alors sur l'herbe, et regarda le follet qui poursuivait sa danse et son rire. C'était vraiment une vilaine chose à voir. Tantôt il filait comme un martin-pêcheur, et tantôt il disparaissait tout à fait.

Et, d'autres fois, il devenait gros comme la tête d'un bœuf, et tout aussitôt menu comme un œil de chat; et il accourait auprès de Landry, tournait autour de lui si vite, qu'il en était ébloui; et enfin, voyant qu'il ne voulait pas le suivre, il s'en retournait frétiller dans les roseaux, où il 5 avait l'air de se fâcher et de lui dire des insolences.

Landry n'osait point bouger, car de retourner sur ses pas n'était pas le moyen de faire fuir le follet. On sait qu'il s'obstine à courir après ceux qui courent, et qu'il se met en travers de leur chemin jusqu'à ce qu'il les ait 10 rendus fous et fait tomber dans quelque mauvaise passe. Il grelottait de peur et de froid, lorsqu'il entendit derrière lui une petite voix très douce qui chantait:

> Fadet, fadet, petit fadet,
> Prends ta chandelle et ton cornet;
> J'ai pris ma cape et mon capet;
> Toute follette a son follet.

Et tout aussitôt la petite Fadette, qui s'apprêtait gaiement à passer l'eau sans montrer crainte ni étonnement du 15 feu follet, heurta contre Landry, qui était assis par terre dans la brune, et se retira en jurant ni plus ni moins qu'un garçon, et des mieux appris.[1]

(Fanchon aide Landry à passer l'eau. Il est quelque peu bouleversé de l'indifférence de Fanchon à la vue des feux follets.)

XI

Peut-être que[2] la mère Fadet avait aussi de la connaissance là-dessus, et qu'elle avait enseigné à sa petite- 20 fille à ne rien redouter de ces feux de nuit; ou bien, à force d'en voir, car il y en avait souvent aux entours du gué des Roulettes, et c'était un grand hasard que Landry n'en eût point encore vu de près, peut-être la petite s'était-elle fait une idée que l'esprit qui les soufflait n'était point méchant et ne lui voulait que du bien. Sentant 5 Landry qui tremblait de tout son corps à mesure que le follet s'approchait d'eux:

— Innocent, lui dit-elle, ce feu-là ne brûle point, et si tu étais assez subtil pour le manier, tu verrais qu'il ne laisse pas seulement sa marque.

10 — C'est encore pis, pensa Landry; du feu qui ne brûle pas, on sait ce que c'est: ça ne peut pas venir de Dieu, car le feu du bon Dieu est fait pour chauffer et brûler.

Mais il ne fit pas connaître sa pensée à la petite Fadette, et quand il se vit sain et sauf à la rive, il eut grande envie 15 de la planter là et de s'ensauver [1] à la Bessonnière. Mais il n'avait point le cœur ingrat, et il ne voulut point la quitter sans la remercier.

— Voilà la seconde fois que tu me rends service, Fanchon Fadet, lui dit-il, et je ne vaudrais rien si je ne te disais 20 pas que je m'en souviendrai toute ma vie. J'étais là comme un fou quand tu m'as trouvé; le follet m'avait vanné et charmé. Jamais je n'aurais passé la rivière, ou bien je n'en serais jamais sorti.

— Peut-être bien que tu l'aurais passée sans peine ni 25 danger si tu n'étais pas si sot, répondit la Fadette; je n'aurais jamais cru qu'un grand gars comme toi, qui est dans ses dix-sept ans, et qui ne tardera pas à avoir de la barbe au menton, fût si aisé à épeurer, et je suis contente de te voir comme cela.

30 — Et pourquoi en êtes-vous contente, Fanchon Fadet?

— Parce que je ne vous aime point, lui dit-elle d'un ton méprisant.

— Et pourquoi est-ce encore que vous ne m'aimez point?

— Parce que je ne vous estime point, répondit-elle; ni vous, ni votre besson, ni vos père et mère, qui sont fiers parce qu'ils sont riches, et qui croient qu'on ne fait que 5 son devoir en leur rendant service. Ils vous ont appris à être ingrat, Landry, et c'est le plus vilain défaut pour un homme, après celui d'être peureux.

Landry se sentit bien humilié des reproches de cette petite fille, car il reconnaissait qu'ils n'étaient pas tout à 10 fait injustes, et il lui répondit:

— Si je suis fautif, Fadette, ne l'imputez qu'à moi. Ni mon frère, ni mon père, ni ma mère, ni personne chez nous n'a eu connaissance du secours que vous m'avez déjà une fois donné. Mais pour cette fois-ci, ils le sauront, 15 et vous aurez une récompense telle que vous la désirerez.

— Ah! vous voilà bien orgueilleux, reprit la petite Fadette, parce que vous vous imaginez qu'avec vos présents vous pouvez être quitte envers moi. Vous croyez que je suis pareille à ma grand'mère, qui, pourvu qu'on 20 lui baille quelque argent, supporte les malhonnêtetés et les insolences du monde. Eh bien, moi, je n'ai besoin ni envie de vos dons, et je méprise tout ce qui viendrait de vous, puisque vous n'avez pas eu le cœur de trouver un pauvre mot de remerciement et d'amitié à me dire depuis 25 tantôt un an que je vous ai guéri d'une grosse peine.

— Je suis fautif, je l'ai confessé, Fadette, dit Landry, qui ne pouvait s'empêcher d'être étonné de la manière dont il l'entendait raisonner pour la première fois. Mais c'est qu'aussi il y a un peu de ta faute. Ce n'était pas 30 bien sorcier de me faire retrouver mon frère, puisque tu venais sans doute de le voir pendant que je m'expliquais avec ta grand'mère; et si tu avais vraiment le cœur bon, toi qui me reproches de ne l'avoir point, au lieu de me faire souffrir et attendre, et au lieu de me faire donner une parole qui pouvait me mener loin, tu m'aurais dit tout de 5 suite: « Dévalle le pré, et tu le verras au rivet de l'eau. » Cela ne t'aurait point coûté beaucoup, au lieu que tu t'es fait un vilain jeu de ma peine; et voilà ce qui a mandré le prix du service que tu m'as rendu.

La petite Fadette, qui avait pourtant la repartie 10 prompte, resta pensive un moment. Puis elle dit:

— Je vois bien que tu as fait ton possible pour écarter la reconnaissance de ton cœur, et pour t'imaginer que tu ne m'en devais point, à cause de la récompense que je m'étais fait promettre. Mais encore un coup, il est dur 15 et mauvais, ton cœur, puisqu'il ne t'a point fait observer que je ne réclamais rien de toi, et que je ne te faisais pas même reproche de ton ingratitude.

— C'est vrai, ça, Fanchon, dit Landry qui était la bonne foi même; je suis dans mon tort, je l'ai senti, et 20 j'en ai eu de la honte; j'aurais dû te parler; j'en ai eu l'intention, mais tu m'as fait une mine si courroucée que je n'ai point su m'y prendre.[1]

— Et si vous étiez venu le lendemain de l'affaire me dire une parole d'amitié, vous ne m'auriez point trouvée cour-25 roucée; vous auriez su tout de suite que je ne voulais point de paiement, et nous serions amis: au lieu qu'à cette heure, j'ai mauvaise opinion de vous, et j'aurais dû vous laisser débrouiller avec le follet comme vous auriez pu. Bonsoir, Landry de la Bessonnière; allez sécher vos 30 habits; allez dire à vos parents: « Sans ce petit guenillon de grelet, j'aurais, ma foi, bu un bon coup, ce soir, dans la rivière. »

Parlant ainsi, la petite Fadette lui tourna le dos, et marcha du côté de sa maison en chantant:

> Prends ta leçon et ton paquet,
> Landry Barbeau le bessonnet.

A cette fois,[1] Landry sentit comme un grand repentir dans son âme, non qu'il fût disposé à aucune sorte d'amitié pour une fille qui paraissait avoir plus d'esprit que de bonté, et dont les vilaines manières ne plaisaient point, même à ceux qui s'en amusaient. Mais il avait le cœur haut et ne voulait point garder un tort sur sa conscience Il courut après elle, et la rattrapant par sa cape:

— Voyons, Fanchon Fadet, lui dit-il, il faut que cette affaire-là s'arrange et se finisse entre nous. Tu es mécontente de moi, et je ne suis pas bien content de moi-même. Il faut que tu me dises ce que tu souhaites, et pas plus tard que demain je te l'apporterai.

— Je souhaite ne jamais te voir, répondit la Fadette très durement; et n'importe quelle chose tu m'apporteras, tu peux bien compter que je te la jetterai au nez.

— Voilà des paroles trop rudes pour quelqu'un qui vous offre réparation. Si tu ne veux point de cadeau, il y a peut-être moyen de te rendre service et de te montrer par là qu'on te veut du bien et non pas du mal. Allons, dis-moi ce que j'ai à faire pour te contenter.

— Vous ne sauriez donc me demander pardon et souhaiter mon amitié? dit la Fadette en s'arrêtant.

— Pardon, c'est beaucoup demander, répondit Landry, qui ne pouvait vaincre sa hauteur à l'endroit d'une fille qui n'était point considérée en proportion de l'âge qu'elle commençait à avoir, et qu'elle ne portait pas toujours aussi raisonnablement qu'elle l'aurait dû; quant à ton amitié, Fadette, tu es si drôlement bâtie dans ton esprit, que je ne saurais y avoir grand'fiance.[1] Demande-moi donc une chose qui puisse se donner tout de suite, et que je ne suis pas obligé de te reprendre.

5 — Eh bien, dit la Fadette d'une voix claire et sèche, il en sera comme vous le souhaitez, besson Landry. Je vous ai offert votre pardon, et vous n'en voulez point. A présent je vous réclame ce que vous m'avez promis, qui est d'obéir à mon commandement, le jour où vous en serez 10 requis. Ce jour-là, ce ne sera pas plus tard que demain à la Saint-Andoche,[2] et voici ce que je veux: Vous me ferez danser trois bourrées [3] après la messe, deux bourrées après vêpres, et encore deux bourrées après l'Angélus,[4] ce qui fera sept. Et dans toute votre journée, depuis que vous 15 serez levé jusqu'à ce que vous soyez couché, vous ne danserez aucune autre bourrée avec n'importe qui, fille ou femme. Si vous ne le faites, je saurai que vous avez trois choses bien laides en vous: l'ingratitude, la peur et le manque de parole. Bonsoir, je vous attends demain pour 20 ouvrir la danse, à la porte de l'église.

Et la petite Fadette, que Landry avait suivie jusqu'à sa maison, tira la corillette et entra si vite que la porte fut poussée et recorillée avant que le besson eût pu répondre un mot.

(Landry, d'abord amusé, se désole en pensant à ce que dira la belle Madelon en le voyant danser avec la méprisable Fanchon Fadet.)

XII

Landry fut si fatigué de cette mauvaise nuit qu'il s'endormait tout le long de la messe, et mêmement il n'entendit pas une parole du sermon de M. le curé, qui, pourtant, loua et magnifia on ne peut mieux[1] les vertus et propriétés du bon saint Andoche. En sortant de l'église, Landry était si chargé de langueur qu'il avait oublié la Fadette. Elle était pourtant devant le porche, tout auprès de la belle Madelon, qui se tenait là, bien sûre que la première invitation serait pour elle. Mais quand il s'approcha pour lui parler, il lui fallut bien voir le grelet qui fit un pas en avant et lui dit bien haut avec une hardiesse sans pareille:

— Allons, Landry, tu m'as invitée hier soir pour la première danse, et je compte que nous allons n'y pas manquer.

Landry devint rouge comme le feu, et voyant Madelon devenir rouge aussi, pour le grand étonnement et le grand dépit qu'elle avait d'une pareille aventure, il prit courage contre la petite Fadette.

— C'est possible que je t'aie promis de te faire danser, grelet, lui dit-il; mais j'avais prié une autre auparavant, et ton tour viendra après que j'aurai tenu mon premier engagement.

— Non pas, repartit la Fadette avec assurance. Ta souvenance te fait défaut, Landry; tu n'as promis à personne avant moi, puisque la parole que je te réclame est de l'an dernier, et que tu n'as fait que me la renouveler hier soir. Si la Madelon a envie de danser avec toi aujourd'hui, voici ton besson qui est tout pareil à toi et qu'elle prendra à ta place. L'un vaut l'autre.

— Le grelet a raison, répondit la Madelon avec fierté en prenant la main de Sylvinet; puisque vous avez fait une promesse si ancienne, il faut la tenir, Landry. J'aime bien autant danser avec votre frère.

— Oui, oui, c'est la même chose, dit Sylvinet tout naïvement. Nous danserons tous les quatre.

Il fallut bien en passer par là pour ne pas attirer l'attention du monde, et le grelet commença à sautiller avec tant d'orgueil et de prestesse, que jamais bourrée ne fut mieux marquée ni mieux enlevée.[1] Si elle eût été pimpante et gentille, elle eût fait plaisir à voir, car elle dansait par merveille,[2] et il n'y avait pas une belle qui n'eût voulu avoir sa légèreté et son aplomb; mais le pauvre grelet était si mal habillé, qu'il en paraissait dix fois plus laid que de coutume. Landry, qui n'osait plus regarder Madelon, tant il était chagriné et humilié vis-à-vis d'elle, regarda sa danseuse, et la trouva beaucoup plus vilaine que dans ses guenilles de tous les jours; elle avait cru se faire belle, et son dressage était bon pour faire rire.

Elle avait une coiffe toute jaunie par le renfermé, qui, au lieu d'être petite et bien retroussée par le derrière, selon la nouvelle mode du pays, montrait de chaque côté de sa tête deux grands oreillons bien larges et bien plats; et, sur le derrière de sa tête, la cayenne retombait jusque sur son cou, ce qui lui donnait l'air de sa grand'mère et lui faisait une tête large comme un boisseau sur un petit cou mince comme un bâton. Son cotillon de droguet était trop court de deux mains; et, comme elle avait grandi beaucoup dans l'année, ses bras maigres, tout mordus par le soleil, sortaient de ses manches comme deux pattes d'aranelle. Elle avait cependant un tablier d'incarnat dont elle était bien fière, mais qui lui venait de sa mère, et dont elle n'avait point songé à retirer la bavousette, que, depuis plus de dix ans, les jeunesses ne portent plus. Car elle n'était point de celles qui sont trop coquettes, la pauvre fille, elle ne l'était pas assez, et vivait comme un garçon, sans souci de sa figure, et n'aimant que le jeu et la risée. Aussi avait-elle l'air d'une vieille endimanchée, et on la méprisait pour sa mauvaise tenue, qui n'était point commandée par la misère, mais par l'avarice de sa grand'mère, et le manque de goût de la petite-fille.

(Contre son gré, Landry est obligé de tenir sa promesse à la petite Fadette. De dépit, il retourne vers Fadette lorsque la Madelon refuse hautainement d'avoir aucun rapport avec lui.)

XIII

Là-dessus, il s'en fut [1] aux alentours de l'église pour chercher la petite Fadette, et il la ramena dans la danse, tout en face de la Madelon, et il y dansa deux bourrées sans quitter la place. Il fallait voir comme le grelet était fier et content! Elle ne cachait point son aise, faisait reluire ses coquins d'yeux noirs, et relevait sa petite tête et sa grosse coiffe comme une poule huppée.

Mais, par malheur, son triomphe donna du dépit à cinq ou six gamins qui la faisaient danser à l'habitude, et qui, ne pouvant plus en approcher, eux qui n'avaient jamais été fiers avec elle, et qui l'estimaient beaucoup pour sa danse, se mirent à la critiquer, à lui reprocher sa fierté et à chuchoter autour d'elle: « Voyez donc la grelette qui croit charmer Landry Barbeau! grelette, sautiote, farfadette, chat grillé, grillette, râlette, » — et autres sornettes à la manière de l'endroit.

XIV

Et puis, quand la petite Fadette passait auprès d'eux, ils lui tiraient sa manche, ou avançaient leur pied pour la faire tomber, et il y en avait, des plus jeunes s'entend, et des moins bien appris,[1] qui frappaient sur l'oreillon de sa coiffe et la lui faisaient virer d'une oreille à l'autre, en criant: « Au grand calot,[2] au grand calot à la mère Fadet ! »

Le pauvre grelet allongea cinq ou six tapes à droite ou à gauche; mais tout cela ne servit qu'à attirer l'attention de son côté; et les personnes de l'endroit commencèrent à se dire: « Mais voyez donc notre grelette, comme elle a de la chance aujourd'hui, que Landry Barbeau la fait danser à tout moment ! C'est vrai qu'elle danse bien, mais la voilà qui fait la belle [3] fille et qui se carre comme une agasse. » Et parlant à Landry, il y en eut qui dirent: « Elle t'a donc jeté un sort, mon pauvre Landry, que tu ne regardes qu'elle? ou bien c'est que tu veux passer [4] sorcier, et que bientôt nous te verrons mener les loups [5] aux champs. »

Landry fut mortifié; mais Sylvinet, qui ne voyait rien de plus excellent et de plus estimable que son frère, le fut encore davantage de voir qu'il se donnait en risée à tant de monde, et à des étrangers qui commençaient aussi à s'en mêler, à faire des questions, et à dire: « C'est bien un beau gars: mais, tout de même, il a une drôle d'idée de se coiffer de la plus vilaine qu'il n'y ait [6] pas dans toute l'assemblée. » La Madelon vint, d'un air de triomphe, écouter toutes ces moqueries, et, sans charité, elle y mêla son mot: « Que voulez-vous? dit-elle; Landry est encore un petit enfant, et, à son âge, pourvu qu'on trouve à qui parler, on ne regarde pas si c'est une tête de chèvre ou une figure chrétienne. »[1]

Sylvinet prit alors Landry par le bras, en lui disant tout bas: « Allons-nous-en, frère, ou bien il faudra nous fâcher: car on se moque, et l'insulte qu'on fait à la petite Fadette revient sur toi. Je ne sais pas quelle idée t'a pris aujourd'hui de la faire danser quatre ou cinq fois de suite. On dirait que tu cherches le ridicule; finis cet amusement-là, je t'en prie. C'est bon pour elle de s'exposer aux duretés et au mépris du monde. Elle ne cherche que cela, et c'est son goût: mais ce n'est pas le nôtre. Allons-nous-en, nous reviendrons après l'*Angelus*,[2] et tu feras danser la Madelon qui est une fille bien comme il faut.[3] Je t'ai toujours dit que tu aimais trop la danse, et que cela te ferait faire des choses sans raison. »

Landry le suivit deux ou trois pas, mais il se retourna en entendant une grande clameur; et il vit la petite Fadette que Madelon et les autres filles avaient livrée aux moqueries de leurs galants, et que les gamins, encouragés par les risées qu'on en faisait, venaient de décoiffer d'un coup de poing. Elle avait ses grands cheveux noirs qui pendaient sur son dos, et se débattait tout en colère et en chagrin; car, cette fois, elle n'avait rien dit qui lui méritât d'être tant maltraitée, et elle pleurait de rage, sans pouvoir rattraper sa coiffe qu'un méchant emportait au bout d'un bâton.

Landry trouva la chose bien mauvaise, et, son bon cœur se soulevant contre l'injustice, il attrapa le gamin, lui ôta la coiffe et le bâton, dont il lui appliqua un bon coup dans le derrière, revint au milieu des autres qu'il mit en fuite, rien que de se montrer,[4] et, prenant le pauvre grelet par la main, il lui rendit sa coiffure.

La vivacité de Landry et la peur des gamins firent

grandement rire les assistants. On applaudissait à Landry; mais la Madelon tournant la chose contre lui, il y eut des garçons de l'âge de Landry, et même de plus âgés, qui eurent l'air de rire à ses dépens.

5 Landry avait perdu sa honte; il se sentait brave et fort, et un je ne sais quoi de l'homme fait [1] lui disait qu'il remplissait son devoir en ne laissant pas maltraiter une femme, laide ou belle, petite ou grande, qu'il avait prise pour sa danseuse, au vu et au su de tout le monde. Il 10 s'aperçut de la manière dont on le regardait du côté de Madelon, et il alla tout droit vis-à-vis des Aladenise et des Alaphilippe,[2] en leur disant:

— Eh bien ! vous autres, qu'est-ce que vous avez à en dire ? S'il me convient, à moi, de donner attention à cette 15 fille-là, en quoi cela vous offense-t-il ? Et si vous en êtes choqués, pourquoi vous détournez-vous pour le dire tout bas ? Est-ce que je ne suis pas devant vous ? est-ce que vous ne me voyez point ? On a dit par ici que j'étais encore un petit enfant; mais il n'y a pas par ici un homme 20 ou seulement un grand garçon qui me l'ait dit en face. J'attends qu'on me parle, et nous verrons si l'on molestera la fille que ce petit enfant fait danser.

Sylvinet n'avait pas quitté son frère, et, quoiqu'il ne l'approuvât point d'avoir soulevé cette querelle, il se tenait 25 tout prêt à le soutenir. Il y avait là quatre ou cinq grands jeunes gens qui avaient la tête de plus [3] que les bessons; mais, quand ils les virent si résolus et comme, au fond, se battre pour si peu était à considérer,[4] ils ne soufflèrent mot et se regardèrent les uns les autres, comme pour se de- 30 mander lequel avait eu l'intention de se mesurer avec Landry. Aucun ne se présenta, et Landry, qui n'avait point lâché la main de la Fadette, lui dit:

— Mets vite ton coiffage, Fanchon, et dansons, pour que je voie si on viendra te l'ôter.

— Non, dit la petite Fadette en essuyant ses larmes, j'ai assez dansé pour aujourd'hui, et je te tiens quitte du reste. 5

— Non pas, non pas, il faut danser encore, dit Landry, qui était tout en feu de courage et de fierté. Il ne sera pas dit que tu ne puisses pas danser avec moi sans être insultée.

Il la fit danser encore, et personne ne lui adressa un 10 mot ni un regard de travers. La Madelon et ses soupirants avaient été [1] danser ailleurs. Après cette bourrée, la petite Fadette dit tout bas à Landry:

— A présent, c'est assez, Landry. Je suis contente de toi, et je te rends ta parole.[2] Je retourne à la maison. 15 Danse avec qui tu voudras ce soir.

Et elle s'en alla reprendre son petit frère qui se battait avec les autres enfants, et s'en alla si vite que Landry ne vit pas seulement par où elle se retirait.

XV

Landry alla souper chez lui avec son frère; et, comme 20 celui-ci était bien soucieux de tout ce qui s'était passé, il lui raconta comme quoi [3] il avait eu maille à partir la veille au soir avec le feu follet, et comment la petite Fadette l'en ayant délivré, soit par courage, soit par magie, elle lui avait demandé pour sa récompense de la faire 25 danser sept fois à la fête de la Saint-Andoche. Il ne lui parla point du reste, ne voulant jamais lui dire quelle peur il avait eue de le trouver noyé l'an d'auparavant, et en cela il était sage, car ces mauvaises idées que les enfants se mettent quelquefois en tête y reviennent bientôt, si l'on y fait attention et si on leur en parle.

Sylvinet approuva son frère d'avoir tenu sa parole, et lui dit que l'ennui que cela lui avait attiré augmentait d'autant l'estime qui lui en était due. Mais, tout en s'effrayant du danger que Landry avait couru dans la rivière, il manqua de reconnaissance pour la petite Fadette. Il avait tant d'éloignement pour elle qu'il ne voulut point croire qu'elle l'eût trouvé là par hasard, ni qu'elle l'eût secouru par bonté.

(Rentrant chez lui, Landry trouve sur son chemin la petite Fadette, couchée sur le sol, et en larmes. Après avoir échangé quelques mots avec elle, Landry dit:)

XVI

— Eh bien, Fanchon Fadet, puisque tu parles si raisonnablement, et que, pour la première fois de ta vie, je te vois douce et traitable, je vas [1] te dire pourquoi on ne te respecte pas comme une fille de seize ans devrait pouvoir l'exiger. C'est que tu n'as rien d'une fille et tout d'un garçon, dans ton air et dans tes manières; c'est que tu ne prends pas soin de ta personne. Pour commencer, tu n'as point l'air propre et soigneux, et tu te fais paraître laide par ton habillement et ton langage. Tu sais bien que les enfants t'appellent d'un nom encore plus déplaisant que celui de grelet. Ils t'appellent souvent le *mâlot*. Eh bien, crois-tu que ce soit à propos, à seize ans, de ne point ressembler encore à une fille? Tu montes sur les arbres comme un vrai chat-écurieux,[2] et quand tu sautes sur une jument, sans bride ni selle, tu la fais galoper comme si le diable était dessus. C'est bon d'être forte et leste; c'est bon aussi de n'avoir peur de rien, et c'est un avantage de nature pour un homme. Mais pour une femme trop est trop, et tu as l'air de vouloir te faire remarquer. Aussi on te remarque, on te taquine, on crie après toi comme après un loup. Tu as de l'esprit et tu réponds des malices qui font rire ceux à qui elles ne s'adressent point. C'est encore bon d'avoir plus d'esprit que les autres; mais à force de le montrer, on se fait des ennemis. Tu es curieuse, et quand tu as surpris les secrets des autres, tu les leur jettes à la figure bien durement, aussitôt que tu as à te plaindre d'eux. Cela te fait craindre, et on déteste ceux qu'on craint. On leur rend plus de mal qu'ils n'en font. Enfin, que tu sois sorcière ou non, je veux croire que tu as des connaissances, mais j'espère que tu ne t'es pas donnée aux mauvais esprits; tu cherches à le paraître [1] pour effrayer ceux qui te fâchent, et c'est toujours un assez vilain renom que tu te donnes là. Voilà tous tes torts, Fanchon Fadet, et c'est à cause de ces torts-là que les gens en ont [2] avec toi. Rumine un peu la chose, et tu verras que si tu voulais être un peu plus comme les autres, on te saurait plus de gré de ce que tu as de plus qu'eux dans ton entendement.[3]

— Je te remercie, Landry, répondit la petite Fadette, d'un air très sérieux, après avoir écouté le besson bien religieusement. Tu m'as dit à peu près ce que tout le monde me reproche, et tu me l'as dit avec beaucoup d'honnêteté et de ménagement, ce que les autres ne font point; mais à présent veux-tu que je te réponde, et, pour cela, veux-tu t'asseoir à mon côté pour un petit moment?

— L'endroit n'est guère agréable, dit Landry, qui ne se souciait point trop de s'attarder avec elle, et qui songeait toujours aux mauvais sorts qu'on l'accusait de jeter sur ceux qui ne s'en méfiaient point.

— Tu ne trouves point l'endroit agréable, reprit-elle, parce que vous autres riches [1] vous êtes difficiles. Il vous faut du beau gazon pour vous asseoir dehors, et vous pouvez choisir dans vos prés et dans vos jardins les plus belles places et le meilleur ombrage. Mais ceux qui n'ont rien à eux n'en demandent pas si long [2] au bon Dieu, et ils s'accommodent de la première pierre venue [3] pour poser leur tête. Les épines ne blessent point leurs pieds, et là où ils se trouvent ils observent tout ce qui est joli et avenant au ciel et sur la terre. Il n'y a point de vilain endroit, Landry, pour ceux qui connaissent la vertu et la douceur de toutes les choses que Dieu a faites. Moi, je sais, sans être sorcière, à quoi sont bonnes les moindres herbes que tu écrases sous tes pieds; et quand je sais leur usage, je les regarde et ne méprise ni leur odeur ni leur figure. Je te dis cela, Landry, pour t'enseigner tout à l'heure une autre chose qui se rapporte aux âmes chrétiennes aussi bien qu'aux fleurs des jardins et aux ronces des carrières; c'est que l'on méprise trop souvent ce qui ne paraît ni beau ni bon, et que par là on se prive de ce qui est secourable et salutaire.

— Je n'entends pas bien ce que tu veux signifier, dit Landry en s'asseyant auprès d'elle; — et ils restèrent un moment sans parler, car la petite Fadette avait l'esprit envolé à des idées que Landry ne connaissait point; et, quant à lui, malgré qu'il en eût un peu d'embrouillement dans la tête, il ne pouvait pas s'empêcher d'avoir du plaisir à entendre cette fille; car jamais il n'avait entendu une voix si douce et des paroles si bien dites que les paroles et la voix de la Fadette dans ce moment-là.

— Écoute, Landry, lui dit-elle, je suis plus à plaindre qu'à blâmer; et si j'ai des torts envers moi-même, du moins n'en ai-je jamais eu de sérieux envers les autres; et si le monde était juste et raisonnable, il ferait plus d'attention à mon bon cœur qu'à ma vilaine figure et à mes mauvais habillements... Vois un peu, ou apprends si tu ne le sais, quel a été mon sort depuis que je suis au monde. Je ne te dirai point de mal de ma pauvre mère qu'un chacun[1] blâme et insulte, quoiqu'elle ne soit point là pour se défendre, et sans que je puisse le faire, moi qui ne sais pas bien ce qu'elle a fait de mal, ni pourquoi elle a été poussée à le faire. Eh bien, le monde est si méchant, qu'à peine ma mère m'eut-elle délaissée, et comme je la pleurais encore bien amèrement, au moindre dépit que les autres enfants avaient contre moi, pour un jeu, pour un rien qu'ils se seraient pardonné entre eux, ils me reprochaient la faute de ma mère et voulaient me forcer à rougir d'elle. Peut-être qu'à ma place une fille raisonnable, comme tu dis, se fût abaissée dans le silence, pensant qu'il était prudent d'abandonner la cause de sa mère et de la laisser injurier pour se préserver de l'être. Mais moi, vois-tu, je ne le pouvais pas. C'était plus fort que moi. Ma mère était toujours ma mère, et qu'elle soit ce qu'on voudra, que je la retrouve ou que je n'en entende jamais parler, je l'aimerai toujours de toute la force de mon cœur. Aussi, quand on m'appelle enfant de coureuse et de vivandière, je suis en colère, non à cause de moi: je sais bien que cela ne peut m'offenser, puisque je n'ai rien fait de mal; mais à cause de cette pauvre chère femme que mon devoir est de défendre. Et comme je ne peux ni ne sais la défendre, je la venge, en disant aux autres les vérités qu'ils méritent, et en leur montrant qu'ils ne valent pas mieux que celle à qui ils jettent la pierre. Voilà pourquoi ils disent que je suis curieuse et insolente, que je surprends leurs secrets pour les divulguer. Il est vrai que le bon Dieu m'a faite curieuse, si c'est l'être que de désirer connaître les choses cachées. Mais si on avait été bon et humain envers moi, je n'aurais pas songé à contenter ma curiosité aux dépens du prochain. J'aurais renfermé mon amusement dans la connaissance des secrets que m'enseigne ma grand'mère pour la guérison du corps humain. Les fleurs, les herbes, les pierres, les mouches, tous les secrets de nature, il y en aurait eu bien assez pour m'occuper et pour me divertir, moi qui aime à vaguer et à fureter partout. J'aurais toujours été seule, sans connaître l'ennui; car mon plus grand plaisir est d'aller dans les endroits qu'on ne fréquente point et d'y rêvasser à cinquante choses dont je n'entends jamais parler aux personnes[1] qui se croient bien sages et bien avisées. Si je me suis laissé attirer dans le commerce de mon prochain, c'est par l'envie que j'avais de rendre service avec les petites connaissances qui me sont venues et dont ma grand'mère elle-même fait souvent son profit sans rien dire. Eh bien, au lieu d'être remerciée honnêtement par tous les enfants de mon âge dont je guérissais les blessures et les maladies, et à qui j'enseignais mes remèdes sans demander jamais de récompense, j'ai été traitée de sorcière, et ceux qui venaient bien doucement me prier quand ils avaient besoin de moi, me disaient plus tard des sottises à la première occasion.

— Cela me courrouçait, et j'aurais pu leur nuire, car si je sais des choses pour faire du bien, j'en sais aussi pour faire du mal; et pourtant je n'en ai jamais fait usage; je ne connais point la rancune, et si je me venge en paroles, c'est que je suis soulagée en disant tout de suite ce qui me vient au bout de la langue, et qu'ensuite je n'y pense plus et pardonne ainsi que Dieu le commande. Quant à ne prendre soin ni de ma personne ni de mes manières, cela devrait montrer que je ne suis pas assez folle pour me croire belle, lorsque je sais que je suis si laide que personne ne peut me regarder. On me l'a dit assez souvent pour que je le sache; et, en voyant combien les gens sont durs et méprisants pour ceux que le bon Dieu a mal partagés, je me suis fait un plaisir de leur déplaire, me consolant par l'idée que ma figure n'avait rien de repoussant pour le bon Dieu et pour mon ange gardien, lesquels ne me la reprocheraient pas plus que je ne la leur reproche moi-même. Aussi, moi, je ne suis pas comme ceux qui disent: « Voilà une chenille, une vilaine bête; ah ! qu'elle est laide ! il faut la tuer ! » Moi, je n'écrase pas la pauvre créature du bon Dieu, et si la chenille tombe dans l'eau, je lui tends une feuille pour qu'elle se sauve. Et à cause de cela on dit que j'aime les mauvaises bêtes et que je suis sorcière, parce que je n'aime pas à faire souffrir une grenouille, à arracher les pattes à une guêpe et à clouer une chauve-souris vivante contre un arbre. Pauvre bête, que je lui dis, si on doit tuer tout ce qui est vilain, je n'aurais pas plus que toi le droit de vivre.

XVII

Landry fut, je ne sais comment, émotionné de la manière dont la petite Fadette parlait humblement et tranquillement de sa laideur, et, se remémorant sa figure, qu'il ne voyait guère dans l'obscurité de la carrière, il lui dit, sans songer à la flatter:

— Mais, Fadette, tu n'es pas si vilaine que tu le crois, ou que tu veux bien le dire. Il y en a de bien plus déplaisantes que toi à qui l'on n'en fait pas reproche.

— Que je le sois un peu de plus, un peu de moins, tu ne peux pas dire, Landry, que je suis une jolie fille. Voyons, ne cherche pas à me consoler, car je n'en ai pas de chagrin.

— Dame ! qu'est-ce qui [1] sait comment tu serais si tu étais habillée et coiffée comme les autres ? Il y a une chose que tout le monde dit: c'est que si tu n'avais pas le nez si court, la bouche si grande et la peau si noire, tu ne serais point mal; car on dit aussi que, dans tout le pays d'ici, il n'y a pas une paire d'yeux comme les tiens, et si tu n'avais point le regard si hardi et si moqueur, on aimerait à être bien vu de ces yeux-là.

Landry parlait de la sorte sans trop se rendre compte de ce qu'il disait. Il se trouvait en train de se rappeler les défauts et les qualités de la petite Fadette; et, pour la première fois, il y donnait une attention et un intérêt dont il ne se serait pas cru capable un moment plus tôt. Elle y prit garde, mais n'en fit rien paraître, ayant trop d'esprit pour prendre la chose au sérieux.

— Mes yeux voient en bien ce qui est bon, dit-elle, et en pitié ce qui ne l'est pas. Aussi je me console bien de déplaire à qui ne me plaît point, et je ne conçois guère pourquoi toutes ces belles filles, que je vois courtisées, sont coquettes avec tout le monde, comme si tout le monde était de leur goût. Pour moi, si j'étais belle, je ne voudrais le paraître et me rendre aimable qu'à celui qui me conviendrait.

Landry pensa à la Madelon, mais la petite Fadette ne

le laissa pas sur cette idée-là; elle continua de parler comme s'ensuit [1]:

— Voilà donc, Landry, tout mon tort envers les autres, c'est de ne point chercher à quêter leur pitié ou leur indulgence pour ma laideur. C'est de me montrer à eux sans aucun attifage pour la déguiser, et cela les offense et leur fait oublier que je leur ai fait souvent du bien, jamais de mal. D'un autre côté, quand même j'aurais soin de ma personne, où prendrais-je de quoi me faire brave? Ai-je jamais mendié, quoique je n'aie pas à moi un sou vaillant? Ma grand'mère me donne-t-elle la moindre chose, si ce n'est la retirance et le manger? Et si je ne sais point tirer parti des pauvres hardes que ma pauvre mère m'a laissées, est-ce ma faute, puisque personne ne me l'a enseigné et que depuis l'âge de dix ans je suis abandonnée sans amour ni merci de personne? Je sais bien le reproche qu'on me fait, et tu as eu la charité de me l'épargner: on dit que j'ai seize ans et que je pourrais bien me louer, qu'alors j'aurais des gages et le moyen de m'entretenir; mais que l'amour de la paresse et du vagabondage me retient auprès de ma grand'mère, qui ne m'aime pourtant guère et qui a bien le moyen de prendre une servante.

— Eh bien, Fadette, n'est-ce point la vérité? dit Landry. On te reproche de ne pas aimer l'ouvrage, et ta grand'mère elle-même dit à qui veut l'entendre, qu'elle aurait du profit à prendre une domestique à ta place.

— Ma grand'mère dit cela parce qu'elle aime à gronder et à se plaindre. Et pourtant quand je parle de la quitter, elle me retient, parce qu'elle sait que je lui suis plus utile qu'elle ne veut le dire. Elle n'a plus ses yeux ni ses jambes de quinze ans pour trouver les herbes dont elle fait ses breuvages et ses poudres, et il y en a qu'il faut aller chercher bien loin et dans des endroits bien difficiles. D'ailleurs, je te l'ai dit, je trouve moi-même aux herbes des vertus qu'elle ne leur connaît pas, et elle est bien étonnée quand je fais des drogues dont elle voit ensuite le bon effet. Quant à nos bêtes, elles sont si belles qu'on est tout surpris de voir un pareil troupeau à des gens qui n'ont de pacage autre que le communal. Eh bien, ma grand'mère sait à qui elle doit des ouailles en si bonne laine et des chèvres en si bon lait. Va, elle n'a point envie que je la quitte, et je lui vaux plus gros que je ne lui coûte. Moi, j'aime ma grand'mère, encore qu'elle me rudoie et me prive beaucoup. Mais j'ai une autre raison pour ne pas la quitter, et je te la dirai si tu veux, Landry.

— Eh bien, dis-la donc, répondit Landry, qui ne se fatiguait point d'écouter la Fadette.

— C'est, dit-elle, que ma mère m'a laissé sur les bras, alors que je n'avais encore que dix ans, un pauvre enfant bien laid, aussi laid que moi, et encore plus disgracié, pour ce qu'il est éclopé de naissance, chétif, maladif, crochu, et toujours en chagrin et en malice parce qu'il est toujours en souffrance, le pauvre gars ! Et tout le monde le tracasse, le repousse et l'avilit, mon pauvre sauteriot ! Ma grand'mère le tance trop rudement et le frapperait trop, si je ne le défendais contre elle en faisant semblant de le tarabuster à sa place. Mais j'ai toujours grand soin de ne pas le toucher pour de vrai, et il le sait bien, lui ! Aussi quand il a fait une faute, il accourt se cacher dans mes jupons, et il me dit: « Bats-moi avant que ma grand'mère ne me prenne ! » Et moi, je le bats pour rire, et le malin fait semblant de crier. Et puis je le soigne; je ne peux pas toujours l'empêcher d'être en loques, le pauvre petit; mais quand j'ai quelque nippe, je l'arrange pour l'habiller, et je le guéris quand il est malade, tandis que ma grand'-mère le ferait mourir, car elle ne sait point soigner les enfants. Enfin, je le conserve à la vie, ce malingret, qui sans moi serait bien malheureux, et bientôt dans la terre à côté de notre pauvre père, que je n'ai pas pu empêcher 5 de mourir. Je ne sais pas si je lui rends service en le faisant vivre, tortu et malplaisant comme il est; mais c'est plus fort que moi, Landry, et quand je songe à prendre du service pour avoir quelque argent à moi et me retirer de la misère où je suis, mon cœur se fend de 10 pitié et me fait reproche, comme si j'étais la mère de mon sauteriot, et comme si je le voyais périr par ma faute. Voilà tous mes torts et mes manquements, Landry. A présent, que le bon Dieu me juge; moi, je pardonne à ceux qui me méconnaissent. 15

(La petite Fadette promet d'avouer et de tout arranger avec Madelon. Landry demande pardon à Fanchon et l'embrasse.)

XVIII

Le lendemain, quand il alla voir ses bœufs au petit jour, tout en les affenant et les câlinant, il pensait en lui-même à cette causerie d'une grande heure qu'il avait eue dans la carrière du Chaumois avec la petite Fadette, et qui lui avait paru comme un instant. Il avait encore la tête 20 alourdie par le sommeil et par la fatigue d'esprit d'une journée si différente de celle qu'il aurait dû passer. Et il se sentait tout troublé et comme épeuré de ce qu'il avait senti pour cette fille, qui lui revenait devant les yeux, laide et de mauvaise tenue, comme il l'avait toujours 25 connue. Il s'imaginait par moment avoir rêvé le souhait qu'il avait fait de l'embrasser, et le contentement qu'il avait eu de la serrer contre son cœur, comme s'il avait senti un grand amour pour elle, comme si elle lui avait paru tout d'un coup plus belle et plus aimable que pas une fille sur terre.

— Il faut qu'elle soit charmeuse comme on le dit, bien qu'elle s'en défende, pensait-il, car pour sûr elle m'a ensorcelé hier soir, et jamais, dans toute ma vie, je n'ai senti pour père, mère, sœur ou frère, non pas certes pour la belle Madelon, et non pas même pour mon cher besson Sylvinet, un élan d'amitié pareil à celui que, pendant deux ou trois minutes, cette diablesse m'a causé. S'il avait pu voir ce que j'avais dans le cœur, mon pauvre Sylvinet, c'est du coup qu'il aurait été mangé par la jalousie. Car l'attache que j'avais pour Madelon ne faisait point de tort à mon frère, au lieu que si je devais rester seulement tout un jour affolé et enflambé comme je l'ai été pour un moment à côté de cette Fadette, j'en deviendrais insensé et je ne connaîtrais plus qu'elle dans le monde.

Et Landry se sentait comme étouffé de honte, de fatigue et d'impatience. Il s'asseyait sur la crèche de ses bœufs, et avait peur que la charmeuse ne lui eût ôté le courage, la raison et la santé.

Mais, quand le jour fut un peu grand et que les laboureurs de la Priche furent levés, ils se mirent à le plaisanter sur sa danse avec le vilain grelet, et ils la firent si laide, si mal élevée, si mal attifée dans leurs moqueries, qu'il ne savait où se cacher, tant il avait de honte, non seulement de ce qu'on avait vu, mais de ce qu'il se gardait bien de faire connaître.

Il ne se fâcha pourtant point, parce que les gens de la

Priche étaient tous ses amis et ne mettaient point de mauvaise intention dans leurs taquineries. Il eut même le courage de leur dire que la petite Fadette n'était pas ce qu'on croyait, qu'elle en valait bien d'autres, et qu'elle était capable de rendre de grands services. Là-dessus, on le railla encore.

— Sa mère, je ne dis pas, firent-ils [1] ; mais elle, c'est un enfant qui ne sait rien, et si tu as une bête malade, je ne te conseille pas de suivre ses remèdes, car c'est une petite bavarde qui n'a pas le moindre secret pour guérir. Mais elle a celui d'endormir les gars, à ce qu'il paraît puisque tu ne l'as guère quittée à la Saint-Andoche, et tu feras bien d'y prendre garde, mon pauvre Landry: car on t'appellerait bientôt le grelet de la grelette, et le follet de la Fadette. Le diable se mettrait après toi. Georgeon [2] viendrait tirer nos draps de lit et boucler le crin de notre chevaline. Nous serions obligés de te faire exorciser.

— Je crois bien, disait la petite Solange, qu'il aura mis un de ses bas à l'envers hier matin. Ça attire les sorciers, et la petite Fadette s'en est bien aperçue.

XIX

Sur le jour, Landry, étant occupé à la couvraille, vit passer la petite Fadette. Elle marchait vite et allait du côté d'une taille où Madelon faisait de la feuille pour ses moutons. C'était l'heure de délier les bœufs, parce qu'ils avaient fait leur demi-journée; et Landry, en les reconduisant au pacage, regardait toujours courir la petite Fadette, qui marchait si légère qu'on ne la voyait point fouler l'herbe. Il était curieux de savoir ce qu'elle allait dire à Madelon, et, au lieu de se presser d'aller manger sa soupe, qui l'attendait dans le sillon encore chaud du fer de la charrue, il s'en alla doucement le long de la taille, pour écouter ce que tramaient ensemble ces deux jeunesses. Il ne pouvait les voir, et, comme Madelon marmottait des réponses d'une voix sourde, il ne savait point ce qu'elle disait; mais la voix de la petite Fadette, pour être douce,[1] n'en était pas moins claire, et il ne perdait pas une de ses paroles, encore qu'elle ne criât point du tout. Elle parlait de lui à la Madelon, et elle lui faisait connaître, ainsi qu'elle l'avait promis à Landry, la parole qu'elle lui avait prise, dix mois auparavant, d'être à commandement pour une chose dont elle le requerrait à son plaisir. Et elle expliquait cela si humblement et si gentillement que c'était plaisir de l'entendre. Et puis, sans parler du follet ni de la peur que Landry en avait eue, elle conta qu'il avait manqué de se noyer en prenant à faux le gué des Roulettes, la veille de Saint-Andoche. Enfin, elle exposa du bon côté tout ce qui en était, et elle démontra que tout le mal venait de la fantaisie et de la vanité qu'elle avait eues de danser avec un grand gars, elle qui n'avait jamais dansé qu'avec les petits.

Là-dessus, la Madelon, écolérée, éleva la voix pour dire:

— Qu'est-ce que me fait tout cela? Danse toute ta vie avec les bessons de la Bessonnière, et ne crois pas, grelet, que tu me fasses le moindre tort, ni la moindre envie.

Et la Fadette reprit: « Ne dites pas des paroles si dures pour le pauvre Landry, Madelon, car Landry vous a donné son cœur, et si vous ne voulez le prendre, il en aura plus de chagrin que je ne saurais dire. » Et pourtant elle le dit, et en si jolies paroles avec un ton si caressant et en donnant à Landry de telles louanges, qu'il aurait voulu retenir toutes ses façons de parler pour s'en servir à l'occasion, et qu'il rougissait d'aise en s'entendant approuver de la sorte.

La Madelon s'étonna aussi pour sa part du joli parler de la petite Fadette; mais elle la dédaignait trop pour le lui 5 témoigner. « Tu as une belle jappe et une fière hardiesse, lui dit-elle, et on dirait que ta grand'mère t'a fait une leçon pour essayer d'enjôler le monde; mais je n'aime pas à causer avec les sorcières, ça porte malheur, et je te prie de me laisser, grelet cornu. Tu as trouvé un galant, 10 garde-le, ma mignonne, car c'est le premier et le dernier qui aura fantaisie pour ton vilain museau. Quant à moi, je ne voudrais pas de ton reste, quand même ça serait le fils du roi. Ton Landry n'est qu'un sot, et il faut qu'il soit bien peu de chose, puisque, croyant me l'avoir enlevé, 15 tu viens me prier déjà de le reprendre. Voilà un beau galant pour moi, dont la petite Fadette elle-même ne se soucie point ! »

— Si c'est là ce qui vous blesse, répondit la Fadette d'un ton qui alla jusqu'au fin-fond du cœur de Lan- 20 dry, et si vous êtes fière à ce point de ne vouloir être juste qu'après m'avoir humiliée, contentez-vous donc, et mettez sous vos pieds, belle Madelon, l'orgueil et le courage du pauvre grelet des champs. Vous croyez que je dédaigne Landry, et que, sans cela, je ne vous prierais 25 pas de lui pardonner. Eh bien, sachez, si cela vous plaît, que je l'aime depuis longtemps déjà, que c'est le seul garçon auquel j'aie jamais pensé, et peut-être celui à qui je penserai toute ma vie; mais que je suis trop raison- nable et trop fière aussi pour jamais penser à m'en faire 30 aimer. Je sais ce qu'il est, et je sais ce que je suis. Il est beau, riche et considéré; je suis laide, pauvre et méprisée.

Je sais donc très bien qu'il n'est point pour moi, et vous avez dû voir comme il me dédaignait à la fête. Alors, soyez donc satisfaite, puisque celui que la petite Fadette n'ose pas seulement regarder vous voit avec des yeux
5 remplis d'amour. Punissez la petite Fadette en vous moquant d'elle et en lui reprenant celui qu'elle n'oserait vous disputer.[1] Que si ce n'est par amitié pour lui, ce soit au moins pour punir mon insolence; et promettez-moi, quand il reviendra s'excuser auprès de vous, de le
10 bien recevoir et de lui donner un peu de consolation.

Au lieu d'être apitoyée par tant de soumission et de dévouement, la Madelon se montra très dure, et renvoya la petite Fadette en lui disant toujours que Landry était bien ce qu'il lui fallait, et que, quant à elle, elle le trouvait
15 trop enfant et trop sot. Mais le grand sacrifice que la Fadette avait fait d'elle-même porta son fruit, en dépit des rebuffades de la belle Madelon. Les femmes ont le cœur fait en cette mode, qu'un jeune gars commence à leur paraître un homme sitôt qu'elles le voient estimé
20 et choyé par d'autres femmes. La Madelon, qui n'avait jamais pensé bien sérieusement à Landry, se mit à y penser beaucoup, aussitôt qu'elle eut renvoyé la Fadette. Elle se remémora tout ce que cette belle parleuse lui avait dit de l'amour de Landry, et en songeant que la
25 Fadette en était éprise au point d'oser le lui avouer, elle se glorifia de pouvoir tirer vengeance de cette pauvre fille.

Elle alla, le soir, à la Priche, dont sa demeurance n'était éloignée que de deux ou trois portées de fusil, et, sous couleur de chercher une de ses bêtes qui s'était mêlée aux
30 champs avec celles de son oncle, elle se fit voir à Landry, et de l'œil, l'encouragea à s'approcher d'elle pour lui parler.

Landry s'en aperçut très bien; car, depuis que la petite Fadette s'en mêlait, il était singulièrement dégourdi d'esprit. « La Fadette est sorcière, pensa-t-il, elle m'a rendu les bonnes grâces de Madelon, et elle a plus fait pour moi, dans une causette d'un quart d'heure, que je n'aurais su faire dans une année. Elle a un esprit merveilleux et un cœur comme le bon Dieu n'en fait pas souvent. »

Et, en pensant à cela, il regardait Madelon, mais si tranquillement qu'elle se retira sans qu'il se fût encore décidé de lui parler. Ce n'est point qu'il fût honteux devant elle; sa honte s'était envolée sans qu'il sût comment, mais, avec la honte, le plaisir qu'il avait eu à la voir, et aussi l'envie qu'il avait eue de s'en faire aimer.

A peine eut-il soupé qu'il fit mine d'aller dormir. Mais il sortit de son lit par la ruelle,[1] glissa le long des murs et s'en fut [2] droit au gué des Roulettes. Le feu follet y faisait encore sa petite danse ce soir-là. Du plus loin qu'il le vit sautiller, Landry pensa: « C'est tant mieux, voici le fadet, la Fadette n'est pas loin. » Et il passa le gué sans avoir peur, sans se tromper, et il alla jusqu'à la maison de la mère Fadet furetant et regardant de tous côtés. Mais il y resta un bon moment sans voir de lumière et sans entendre aucun bruit. Tout le monde était couché. Il espéra que le grelet, qui sortait souvent le soir après que sa grand'mère et son sauteriot étaient endormis, vaguerait quelque part aux environs. Il se mit à vaguer de son côté. Il traversa la Joncière, il alla à la carrière du Chaumois, sifflant et chantant pour se faire remarquer; mais il ne rencontra que le blaireau qui fuyait dans les chaumes, et la chouette qui sifflait sur son arbre. Force lui fut [3] de rentrer sans avoir pu remercier la bonne amie qui l'avait si bien servi.

XX

Enfin vint le dimanche, et Landry arriva des premiers à la messe. Il entra avant qu'elle fût sonnée,[1] sachant que la petite Fadette avait coutume d'y venir dans ce moment-là, parce qu'elle faisait toujours de longues 5 prières, dont un chacun se moquait. Il vit une petite, agenouillée dans la chapelle de la sainte Vierge, et qui, tournant le dos, cachait sa figure dans ses mains pour prier avec recueillement. C'était bien la posture de la petite Fadette, mais ce n'était ni son coiffage, ni sa tour-10 nure, et Landry ressortit pour voir s'il ne la trouverait point sous le porche, qu'on appelle chez nous une guenillière, à cause que les gredots peilleroux, qui sont mendiants loqueteux,[2] s'y tiennent pendant les offices.

Les guenilles de la Fadette furent les seules qu'il n'y 15 vit point; il entendit la messe sans l'apercevoir, et ce ne fut qu'à la préface[3] que, regardant encore cette fille qui priait si dévotement dans la chapelle, il lui vit lever la tête et reconnut son grelet, dans un habillement et un air tout nouveaux pour lui. C'était bien toujours son pauvre 20 dressage, son jupon de droguet, son devanteau rouge et sa coiffe de linge sans dentelle; mais elle avait reblanchi, recoupé et recousu tout cela dans le courant de la semaine. Sa robe était plus longue et tombait plus convenablement sur ses bas, qui étaient bien blancs, ainsi que sa coiffe, 25 laquelle avait pris la forme nouvelle et s'attachait gentillement sur ses cheveux noirs bien lissés; son fichu était neuf et d'une jolie couleur jaune doux qui faisait valoir sa peau brune. Elle avait aussi rallongé son corsage, et, au lieu d'avoir l'air d'une pièce de bois habillée, elle avait la taille fine et ployante comme le corps d'une belle mouche à miel. De plus, je ne sais pas avec quelle mixture de fleurs ou d'herbes elle avait lavé pendant huit jours son visage et ses mains, mais sa figure pâle et ses mains mignonnes avaient l'air aussi net et aussi doux que la blanche épine du printemps.

Landry, la voyant si changée, laissa tomber son livre d'heures, et, au bruit qu'il fit, la petite Fadette se retourna tout à fait et le regarda, tout en même temps qu'il la regardait. Et elle devint un peu rouge, pas plus que la petite rose des buissons; mais cela la fit paraître quasi belle, d'autant plus que ses yeux noirs, auxquels jamais personne n'avait pu trouver à redire, laissèrent échapper un feu si clair qu'elle en parut transfigurée. Et Landry pensa encore: « Elle est sorcière; elle a voulu devenir belle de laide qu'elle était,[1] et la voilà belle par miracle. » Il en fut comme transi de peur, et sa peur ne l'empêchait pourtant point d'avoir une telle envie de s'approcher d'elle et de lui parler, que, jusqu'à la fin de la messe, le cœur lui en sauta d'impatience.

Mais elle ne le regarda plus, et, au lieu de se mettre à courir et à folâtrer avec les enfants après sa prière, elle s'en alla si discrètement qu'on eut à peine le temps de la voir si changée et si amendée. Landry n'osa point la suivre, d'autant que Sylvinet ne le quittait point des yeux; mais, au bout d'une heure, il réussit à s'échapper, et, cette fois le cœur le poussant et le dirigeant, il trouva la petite Fadette qui gardait sagement ses bêtes dans le petit chemin creux qu'on appelle la *Traîne-au-Gendarme*,[2] parce qu'un gendarme du roi y a été tué par les gens de la Cosse, dans les anciens temps, lorsqu'on voulait forcer le pauvre monde à payer la taille et à faire la corvée,[3] contrairement aux termes de la loi, qui était déjà bien assez dure, telle qu'on l'avait donnée.

(Landry se sent tout à coup embarrassé vis-à-vis de Fanchon, et lui dit qu'il sait qu'elle a parlé à Madelon.)

XXI

La petite Fadette rougit beaucoup, ce qui l'embellit encore, car jamais jusqu'à ce jour-là elle n'avait eu sur 5 les joues cette honnête couleur de crainte et de plaisir qui enjolive les plus laides; mais, en même temps elle s'inquiéta en songeant que la Madelon avait dû répéter ses paroles, et la donner en risée pour l'amour dont elle s'était confessée au sujet de Landry.

10 — Qu'est-ce que Madelon a donc dit de moi? demanda-t-elle.

— Elle a dit que j'étais un grand sot, qui ne plaisait à aucune fille, pas même à la petite Fadette; que la petite Fadette me méprisait, me fuyait, s'était cachée toute la 15 semaine pour ne me point voir, quoique, toute la semaine, j'eusse cherché et couru de tous côtés pour rencontrer la petite Fadette. C'est donc moi qui suis la risée du monde, Fanchon, parce que l'on sait que je t'aime et que tu ne m'aimes point.

20 — Voilà de méchants propos, répondit la Fadette tout étonnée, car elle n'était pas assez sorcière pour deviner que dans ce moment-là Landry était plus fin qu'elle; je ne croyais pas la Madelon si menteuse et si perfide. Mais il faut lui pardonner cela, Landry, car c'est le dépit qui 25 la fait parler, et le dépit c'est l'amour.

— Peut-être bien, dit Landry, c'est pourquoi tu n'as

point de dépit contre moi, Fanchon. Tu me pardonnes tout, parce que, de moi, tu méprises tout.

— Je n'ai point mérité que tu me dises cela, Landry; non vrai, je ne l'ai pas mérité. Je n'ai jamais été assez folle pour dire la menterie qu'on me prête. J'ai parlé autrement à Madelon. Ce que je lui ai dit n'était que pour elle, mais ne pouvait te nuire, et aurait dû, bien au contraire, lui prouver l'estime que je faisais de toi.

— Écoute, Fanchon, dit Landry, ne disputons pas sur ce que tu as dit, ou sur ce que tu n'as point dit. Je veux te consulter, toi qui es savante. Dimanche dernier, dans la carrière, j'ai pris pour toi, sans savoir comment cela m'est venu, une amitié si forte que de toute la semaine je n'ai mangé ni dormi mon soûl. Je ne veux rien te cacher, parce qu'avec une fille aussi fine que toi, ça serait peine perdue. J'avoue donc que j'ai eu honte de mon amitié le lundi matin, et j'aurais voulu m'en aller bien loin pour ne plus retomber dans cette folleté. Mais lundi soir, j'y étais déjà retombé si bien, que j'ai passé le gué à la nuit sans m'inquiéter du follet, qui aurait voulu m'empêcher de te chercher, car il était encore là, et quand il m'a fait sa méchante risée, je la lui ai rendue. Depuis lundi, tous les matins, je suis comme imbécile, parce que l'on me plaisante sur mon goût pour toi; et, tous les soirs, je suis comme fou, parce que je sens mon goût plus fort que la mauvaise honte. Et voilà qu'aujourd'hui je te vois gentille et de si sage apparence que tout le monde va s'en étonner aussi, et qu'avant quinze jours, si tu continues comme cela, non seulement on me pardonnera d'être amoureux de toi, mais encore il y en aura d'autres qui le seront bien fort. Je n'aurai donc pas de mérite à t'aimer; tu ne me devras guère de préférence. Pourtant, si tu te souviens de dimanche dernier, jour de la Saint-Andoche, tu te souviendras aussi que je t'ai demandé, dans la carrière, la permission de t'embrasser, et que je l'ai fait avec autant de cœur que si tu n'avais pas été réputée 5 laide et haïssable. Voilà tout mon droit,[1] Fadette. Dis-moi si cela peut compter, et si la chose te fâche au lieu de te persuader.

La petite Fadette avait mis sa figure dans ses deux mains, et elle ne répondit point. Landry croyait par ce 10 qu'il avait entendu de son discours à la Madelon, qu'il était aimé d'elle, et il faut dire que cet amour-là lui avait fait tant d'effet qu'il avait commandé tout d'un coup le sien. Mais, en voyant la pose honteuse et triste de cette petite, il commença à craindre qu'elle n'eût fait un conte 15 à la Madelon, pour, par bonne intention, faire réussir le raccommodement qu'elle négociait. Cela le rendit encore plus amoureux, et il en prit du chagrin. Il lui ôta ses mains du visage, et la vit si pâle qu'on eût dit qu'elle allait mourir; et comme il lui reprochait vivement de ne 20 pas répondre à l'affolement qu'il se sentait pour elle, elle se laissa aller sur la terre, joignant ses mains et soupirant, car elle était suffoquée et tombait en faiblesse.

(Landry continue à voir Fanchon aussi souvent que possible. La tenue et les manières de celle-ci ont subi un changement graduel en sa faveur. Elle lui indique les propriétés médicinales des plantes, et lui montre que ces remèdes n'ont rien de diabolique.)

XXII

Landry fut bientôt si épris qu'il avait mis tout à fait sous ses pieds la honte de laisser paraître son amour pour 25 une petite fille réputée laide, mauvaise et mal élevée. S'il y mettait de la précaution, c'était à cause de son besson, dont il connaissait la jalousie et qui avait eu déjà un grand effort à faire pour accepter sans dépit l'amourette que Landry avait eue pour Madelon, amourette bien petite et bien tranquille au prix de ce qu'il sentait maintenant pour Fanchon Fadet.

Mais, si Landry était trop animé dans son amour pour y mettre de la prudence, en revanche, la petite Fadette, qui avait un esprit porté au mystère, et qui d'ailleurs, ne voulait pas mettre Landry trop à l'épreuve des taquineries du monde, la petite Fadette, qui en fin de compte l'aimait trop pour consentir à lui causer des peines dans sa famille, exigea de lui un si grand secret qu'ils passèrent environ un an avant que la chose se découvrît. Landry avait habitué Sylvinet à ne plus surveiller tous ses pas et démarches, et le pays, qui n'est guère peuplé et qui est tout coupé de ravins et tout couvert d'arbres, est bien propice aux secrètes amours.

Sylvinet, voyant que Landry ne s'occupait plus de la Madelon, quoiqu'il eût accepté d'abord ce partage de son amitié comme un mal nécessaire rendu plus doux par la honte de Landry et la prudence de cette fille, se réjouit bien de penser que Landry n'était pas pressé de lui retirer son cœur pour le donner à une femme, et, la jalousie le quittant, il le laissa plus libre de ses occupations et de ses courses, les jours de fêtes et de repos. Landry ne manquait pas de prétextes pour aller et venir, et le dimanche soir surtout, il quittait la Bessonnière de bonne heure et ne rentrait à la Priche que sur le minuit; ce qui lui était bien commode, parce qu'il s'était fait donner un petit lit dans le capharnion. Vous me reprendrez peut-être sur ce mot-là, parce que le maître d'école s'en fâche et veut qu'on

dise *capharnaüm;* mais, s'il connaît le mot, il ne connaît point la chose, car j'ai été obligé de lui apprendre que c'était l'endroit de la grange voisin des étables, où l'on serre les jougs, les chaînes, les ferrages et épelettes de
5 toute espèce qui servent aux bêtes de labour et aux instruments du travail de la terre. De cette manière, Landry pouvait rentrer à l'heure qu'il voulait sans réveiller personne, et il avait toujours son dimanche à lui jusqu'au lundi matin, pour ce que le père Caillaud et son
10 fils aîné, qui tous deux étaient des hommes très sages, n'allant jamais dans les cabarets et ne faisant point noce de tous les jours fériés, avaient coutume de prendre sur eux tout le soin et toute la surveillance de la ferme ces jours-là; afin, disaient-ils, que toute la jeunesse de la
15 maison, qui travaillait plus qu'eux dans la semaine, pût s'ébattre et se divertir en liberté, selon l'ordonnance du bon Dieu.

Et durant l'hiver, où les nuits sont si froides qu'on pourrait difficilement causer d'amour en pleins champs, il
20 y avait pour Landry et la petite Fadette un bon refuge dans la tour à Jacot,[1] qui est un ancien colombier de redevance, abandonné des pigeons depuis longues années, mais qui est bien couvert et bien fermé, et qui dépend de la ferme au père Caillaud. Mêmement il s'en servait
25 pour y serrer le surplus de ses denrées, et comme Landry en avait la clef, et qu'il est situé sur les confins des terres de la Priche, non loin du gué des Roulettes, et dans le milieu d'une luzernière bien close, le diable eût été fin s'il eût été surprendre là les entretiens de ses deux jeunes
30 amoureux. Quand le temps était doux, ils allaient parmi les tailles, qui sont jeunes bois de coupe,[2] et dont le pays est tout parsemé. Ce sont encore bonnes retraites pour

les voleurs et les amants, et comme de voleurs il n'en est point dans notre pays, les amants en profitent, et n'y trouvent pas plus la peur que l'ennui.

(Finalement Sylvinet surprend une conversation des amoureux. Il est si affligé de voir qu'apparemment son frère le néglige, que peu à peu ses anciennes souffrances le reprennent. Il s'affaiblit et maigrit, mais ne dit mot à personne de ce qu'il a appris.)

XXIII

Ce fut la Madelon qui découvrit le pot aux roses; et, si elle le fit sans malice, encore en tira-t-elle un mauvais parti. Elle s'était bien consolée de Landry, et, n'ayant pas perdu beaucoup de temps à l'aimer, elle n'en avait guère demandé pour l'oublier. Cependant il lui était resté sur le cœur une petite rancune qui n'attendait que l'occasion pour se faire sentir, tant il est vrai que le dépit chez les femmes dure plus que le regret.

Voici comment la chose arriva. La belle Madelon, qui était renommée pour son air sage et pour ses manières fières avec les garçons, était cependant très coquette en dessous, et pas moitié si raisonnable ni si fidèle dans ses amitiés que le pauvre grelet, dont on avait si mal parlé et si mal auguré. Adonc la Madelon avait déjà eu deux amoureux, sans compter Landry, et elle se prononçait pour un troisième, qui était son cousin, le fils cadet au père Caillaud de la Priche. Elle se prononça si bien qu'étant surveillée par le dernier à qui elle avait donné de l'espérance, et craignant qu'il ne fît un éclat, ne sachant où se cacher pour causer à loisir avec le nouveau, elle se laissa persuader par celui-ci d'aller babiller dans le colombier où justement Landry avait d'honnêtes rendez-vous avec la petite Fadette.

Cadet Caillaud avait bien cherché la clef de ce colombier, et ne l'avait point trouvée parce qu'elle était toujours dans la poche de Landry; et il n'avait osé la demander à personne, parce qu'il n'avait pas de bonnes raisons pour en 5 expliquer la demande. Si bien que personne, hormis Landry, ne s'inquiétait de savoir où elle était. Cadet Caillaud, songeant qu'elle était perdue, ou que son père la tenait dans son trousseau, ne se gêna point pour enfoncer la porte. Mais, le jour où il le fit, Landry et Fadette se 10 trouvaient là, et ces quatre amoureux se trouvèrent bien penauds en se voyant les uns les autres. C'est ce qui les engagea tous également à se taire et à ne rien ébruiter.

Mais la Madelon eut comme un retour de jalousie et de colère, en voyant Landry, qui était devenu un des plus 15 beaux garçons du pays et des plus estimés, garder, depuis la Saint-Andoche, une si belle fidélité à la petite Fadette, et elle forma la résolution de s'en venger. Pour cela, sans en rien confier à Cadet Caillaud, qui était honnête homme et ne s'y fût point prêté, elle se fit aider d'une ou deux 20 jeunes fillettes de ses amies lesquelles, un peu dépitées aussi du mépris que Landry paraissait faire d'elles en ne les priant plus jamais à danser, se mirent à surveiller si bien la petite Fadette, qu'il ne leur fallut pas grand temps pour s'assurer de son amitié avec Landry. Et sitôt 25 qu'elles les eurent épiés et vus une ou deux fois ensemble elles en firent grand bruit dans tout le pays, disant à qui voulait les écouter, et Dieu sait si la médisance manque d'oreilles pour se faire entendre et de langues pour se faire répéter, que Landry avait fait une mauvaise con-30 naissance dans la personne de la petite Fadette.

Alors toute la jeunesse femelle s'en mêla, car lorsqu'un garçon de belle mine et de bon avoir s'occupe d'une personne, c'est comme une injure à toutes les autres, et si l'on peut trouver à mordre sur [1] cette personne-là, on ne s'en fait pas faute. On peut dire aussi que, quand une méchanceté est exploitée par les femmes, elle va vite et loin.

Aussi, quinze jours après l'aventure de la tour à Jacot, sans qu'il fût question de la tour, ni de Madelon, qui avait eu bien soin de ne pas se mettre en avant, et qui feignait même d'apprendre comme une nouvelle ce qu'elle avait dévoilé la première à la sourdine, tout le monde savait, petits et grands, vieilles et jeunes, les amours de Landry le besson avec Fanchon le grelet.

Et le bruit en vint jusqu'aux oreilles de la mère Barbeau, qui s'en affligea beaucoup et n'en voulut point parler à son homme. Mais le père Barbeau l'apprit d'autre part, et Sylvain, qui avait bien discrètement gardé le secret de son frère, eut le chagrin de voir que tout le monde le savait.

(En conseil de famille, le père de Landry exige une explication sur l'intimité de son fils avec une jeune fille aussi peu recommandable que Fanchon Fadette. Landry la défend avec chaleur et indignation.)

XXIV

Sylvinet pleurait, la mère Barbeau pleurait aussi, et aussi la sœur aînée, et l'oncle Landriche. Il n'y avait que le père Barbeau et Landry qui eussent les yeux secs; mais ils avaient le cœur bien gros, et on les fit s'embrasser. Le père n'exigea aucune promesse, sachant bien que, dans les cas d'amour, ces promesses-là sont chanceuses, et ne voulant point compromettre son autorité; mais il fit comprendre à Landry que ce n'était point fini et qu'il y reviendrait. Landry s'en alla courroucé et désolé. Sylvinet eût bien voulu le suivre; mais il n'osa, à cause qu'il présumait bien qu'il allait faire part de son chagrin à la Fadette, et il se coucha si triste que, de toute la nuit, il ne fit que soupirer et rêver de malheur dans la famille.

Landry s'en alla frapper à la porte de la petite Fadette. La mère Fadet était devenue si sourde qu'une fois endormie rien ne l'éveillait, et depuis quelque temps Landry, se voyant découvert, ne pouvait causer avec Fanchon que le soir dans la chambre où dormaient la vieille et le petit Jeanet; et là encore, il risquait gros, car la vieille sorcière ne pouvait pas le souffrir et l'eût fait sortir avec des coups de balai bien plutôt qu'avec des compliments. Landry raconta sa peine à la petite Fadette, et la trouva grandement soumise et courageuse. D'abord elle essaya de lui persuader qu'il ferait bien, dans son intérêt à lui,[1] de reprendre son amitié et de ne plus penser à elle. Mais quand elle vit qu'il s'affligeait et se révoltait de plus en plus, elle l'engagea à l'obéissance en lui donnant à espérer du temps à venir.

— Écoute, Landry, lui dit-elle, j'avais toujours eu prévoyance de ce qui nous arrive, et j'ai souvent songé à ce que nous ferions, le cas échéant. Ton père n'a point de tort, et je ne lui en veux pas; car c'est par grande amitié pour toi qu'il craint de te voir épris d'une personne aussi peu méritante que je le suis. Je lui pardonne donc un peu de fierté et d'injustice à mon endroit; car nous ne pouvons pas disconvenir que ma première petite jeunesse a été folle, et toi-même me l'as reproché le jour où tu as commencé à m'aimer. Si, depuis un an, je me suis corrigée de mes défauts, ce n'est pas assez de temps pour qu'il y prenne confiance, comme il te l'a dit aujourd'hui. Il faut donc que le temps passe encore là-dessus, et, peu à peu, les préventions qu'on avait contre moi s'en iront, les vilains mensonges qu'on fait à présent tomberont d'eux-mêmes. Ton père et ta mère verront bien que je suis sage et que je ne veux pas te débaucher ni te tirer de l'argent. Ils rendront justice à l'honnêteté de mon amitié, et nous pourrons nous voir et nous parler sans nous cacher de personne; mais en attendant, il faut que tu obéisses à ton père, qui, j'en suis certaine, va te défendre de me fréquenter.

— Jamais je n'aurai ce courage-là, dit Landry, j'aimerais mieux me jeter dans la rivière.

— Eh bien! si tu ne l'as pas, je l'aurai pour toi, dit la petite Fadette; je m'en irai, moi, je quitterai le pays pour un peu de temps. Il y a déjà deux mois qu'on m'offre une bonne place en ville. Voilà ma grand'mère si sourde et si âgée, qu'elle ne s'occupe presque plus de faire et de vendre ses drogues, et qu'elle ne peut plus donner ses consultations. Elle a une parente très bonne, qui lui offre de venir demeurer avec elle, et qui la soignera bien, ainsi que mon pauvre sauteriot . . .

La petite Fadette eut la voix coupée, un moment, par l'idée de quitter cet enfant, qui était, avec Landry, ce qu'elle aimait le plus au monde, mais elle reprit courage et dit:

— A présent, il est assez fort pour se passer de moi. Il va faire sa première communion,[1] et l'amusement d'aller au catéchisme avec les autres enfants le distraira du chagrin de mon départ. Tu dois avoir observé qu'il est devenu assez raisonnable, et que les autres garçonnets ne le font plus guère enrager. Enfin, il le faut, vois-tu, Landry; il faut qu'on m'oublie un peu, car il y a, à cette heure, une grande colère et une grande jalousie contre moi dans le pays. Quand j'aurai passé un an ou deux au loin, et que je reviendrai avec de bons témoignages et une bonne renommée, laquelle j'acquerrai plus aisément ailleurs qu'ici, on ne nous tourmentera plus, et nous serons meilleurs amis que jamais.

Landry ne voulut pas écouter cette proposition-là; il ne fit que se désespérer, et s'en retourna à la Priche dans un état qui aurait fait pitié au plus mauvais cœur.

Deux jours après, comme il menait la cuve[1] pour la vendange, Cadet Caillaud lui dit:

— Je vois, Landry, que tu m'en veux, et que, depuis quelque temps, tu ne me parles pas. Tu crois sans doute que c'est moi qui ai ébruité tes amours avec la petite Fadette, et je suis fâché que tu puisses croire une pareille vilenie de ma part. Aussi vrai que Dieu est au ciel, jamais je n'en ai soufflé un mot, et mêmement c'est un chagrin pour moi qu'on t'ait causé ces ennuis-là; car j'ai toujours fait grand cas de toi, et jamais je n'ai fait injure à la petite Fadette. Je puis même dire que j'ai de l'estime pour cette fille depuis ce qui nous est arrivé au colombier, dont elle aurait pu bavarder pour sa part, dont jamais personne n'a rien su, tant elle a été discrète. Elle aurait pu s'en servir pourtant, à seules fins de tirer vengeance de la Madelon, qu'elle sait bien être l'auteur de tous ces caquets; mais elle ne l'a point fait, et je vois, Landry, qu'il ne faut point se fier aux apparences et aux réputations. La Fadette, qui passait pour méchante, a été bonne; la Madelon, qui passait pour bonne, a été bien traître, non seulement envers la Fadette et envers toi, mais encore avec moi, qui, pour l'heure, ai grandement à me plaindre de sa fidélité.

Landry accepta de bon cœur les explications de Cadet Caillaud, et celui-ci le consola de son mieux de son chagrin.

— On t'a fait bien des peines, mon pauvre Landry, lui dit-il en finissant; mais tu dois t'en consoler par la bonne conduite de la petite Fadette. C'est bien, à elle, de s'en aller, pour faire finir le tourment de ta famille, et je viens de le lui dire à elle-même, en lui faisant mes adieux au passage.

— Qu'est-ce que tu me dis là, Cadet ? s'exclama Landry; elle s'en va ? elle est partie ?

— Ne le savais-tu pas ? dit Cadet. Je pensais que c'était chose convenue entre vous, et que tu ne la conduisais point pour n'être pas blâmé. Mais elle s'en va, pour sûr; elle a passé au droit de chez nous il n'y a pas plus d'un quart d'heure, et elle avait son petit paquet sous le bras. Elle allait à Château-Meillant,[1] et, à cette heure, elle n'est pas plus loin que Vieille-Ville, ou bien la côte d'Urmont.

Landry laissa son aiguillon accoté au frontal [2] de ses bœufs, prit sa course et ne s'arrêta que quand il eut rejoint la petite Fadette, dans le chemin de sable qui descend des vignes d'Urmont à la Fremelaine.

Là, tout épuisé par le chagrin et la grande hâte de sa course, il tomba en travers du chemin, sans pouvoir lui parler, mais en lui faisant connaître par signes qu'elle aurait à marcher sur son corps avant de le quitter.

Quand il se fut un peu remis, la Fadette lui dit:

— Je voulais t'épargner cette peine, mon cher Landry, et voilà que tu fais tout ce que tu peux pour m'ôter le courage. Sois donc un homme, et ne m'empêche pas d'avoir du cœur; il m'en faut plus que tu ne penses, et quand je songe que mon pauvre petit Jeanet me cherche et crie après moi, à cette heure, je me sens si faible que, pour un rien, je me casserais la tête sur ces pierres. Ah !

je t'en prie, Landry, aide-moi au lieu de me détourner de mon devoir; car, si je ne m'en vas pas aujourd'hui, je ne m'en irai jamais, et nous serons perdus.

— Fanchon, Fanchon, tu n'as pas besoin d'un grand 5 courage, répondit Landry. Tu ne regrettes qu'un enfant qui se consolera bientôt, parce qu'il est enfant. Tu ne te soucies pas de mon désespoir; tu ne connais pas ce que c'est que l'amour; tu n'en as point pour moi, et tu vas [1] m'oublier vite, ce qui fait que tu ne reviendras peut-être 10 jamais.

— Je reviendrai, Landry; je prends Dieu à témoin que je reviendrai dans un an au plus tôt, dans deux ans au plus tard, et que je t'oublierai si peu que je n'aurai jamais d'autre ami ni d'autre amoureux que toi.

15 — D'autre ami, c'est possible, Fanchon, parce que tu n'en retrouveras jamais un qui te soit soumis comme je le suis; mais d'autre amoureux, je n'en sais rien: qui peut m'en répondre ?

— C'est moi qui t'en réponds !

20 — Tu n'en sais rien toi-même, Fadette, tu n'as jamais aimé, et quand l'amour te viendra, tu ne te souviendras guère de ton pauvre Landry. Ah ! si tu m'avais aimé de la manière dont je t'aime, tu ne me quitterais pas comme ça.

25 — Tu crois, Landry ? dit la petite Fadette en le regardant d'un air triste et bien sérieux. Peut-être bien que tu ne sais ce que tu dis. Moi, je crois que l'amour me commanderait encore plus ce que l'amitié me fait faire.

— Eh bien, si c'était l'amour qui te commande, je 30 n'aurais pas tant de chagrin. Oh ! oui, Fanchon, si c'était l'amour, je crois quasiment que je serais heureux dans mon malheur. J'aurais de la confiance dans ta parole et de l'espérance dans l'avenir; j'aurais le courage que tu as, vrai ! . . . Mais ce n'est pas de l'amour, tu me l'as dit bien des fois, et je l'ai vu à ta grande tranquillité à côté de moi.

— Ainsi tu crois que ce n'est pas l'amour; dit la petite Fadette; tu en es bien assuré ?

Et, le regardant toujours, ses yeux se remplirent de larmes qui tombèrent sur ses joues, tandis qu'elle souriait d'une manière bien étrange.

— Ah ! mon Dieu ! mon bon Dieu ! s'écria Landry en la prenant dans ses bras, si je pouvais m'être trompé !

— Moi, je crois bien que tu t'es trompé, en effet, répondit la petite Fadette, toujours souriant et pleurant; je crois bien que, depuis l'âge de treize ans, le pauvre Grelet a remarqué Landry et n'en a jamais remarqué d'autre. Je crois bien que, quand elle le suivait par les champs et par les chemins, en lui disant des folies et des taquineries pour le forcer à s'occuper d'elle, elle ne savait point encore ce qu'elle faisait, ni ce qui la poussait vers lui. Je crois bien que, quand elle s'est mise un jour à la recherche de Sylvinet, sachant que Landry était dans la peine, et qu'elle l'a trouvé au bord de la rivière, tout pensif, avec un petit agneau sur ses genoux, elle a fait un peu la sorcière avec Landry, afin que Landry fût forcé à lui en avoir de la reconnaissance. Je crois bien que, quand elle l'a injurié au gué des Roulettes, c'est parce qu'elle avait du dépit et du chagrin de ce qu'il ne lui avait jamais parlé depuis. Je crois bien que, quand elle a voulu danser avec lui, c'est parce qu'elle était folle de lui et qu'elle espérait lui plaire par sa jolie danse. Je crois bien que, quand elle pleurait dans la carrière du Chaumois, c'était pour le repentir et la peine de lui avoir déplu. Je crois bien aussi que, quand il voulait l'embrasser et qu'elle s'y refusait, quand il lui parlait d'amour et qu'elle lui répondait en paroles d'amitié, c'était par la crainte qu'elle avait de perdre cet amour-là en le contentant trop vite. 5 Enfin je crois que, si elle s'en va en se déchirant le cœur, c'est par l'espérance qu'elle a de revenir digne de lui dans l'esprit de tout le monde, et de pouvoir être sa femme, sans désoler et sans humilier sa famille.

Cette fois Landry crut qu'il deviendrait tout à fait fou. 10 Il riait, il criait et il pleurait; et il embrassait Fanchon sur ses mains, sur sa robe; et il l'eût embrassée sur ses pieds, si elle avait voulu le souffrir; mais elle le releva et lui donna un vrai baiser d'amour dont il faillit mourir; car c'était le premier qu'il eût jamais reçu d'elle, ni d'au- 15 cune autre, et, du temps qu'il en tombait comme pâmé sur le bord du chemin, elle ramassa son paquet, toute rouge et confuse qu'elle était, et se sauva en lui défendant de la suivre et en lui jurant qu'elle reviendrait.

(Dû à son départ volontaire, l'opinion du père Barbeau sur Fanchon s'améliore quelque peu. Cependant on ne touche plus à ce sujet. Landry et Cadet Caillaud deviennent de bons amis, mais Sylvinet, toujours hostile à Fanchon, se refroidit de plus en plus envers Landry. Il tombe malade de jalousie. Sa sensibilité morbide lui revient. Enfin, comme on juge qu'une séparation lui ferait du bien, on envoie Landry à une ferme appartenant à son maître, et située à quelque distance de la Priche.)

XXV

Cette fois, Sylvinet manqua mourir le premier jour; 20 mais le second, il fut plus tranquille, et le troisième, la fièvre le quitta. Il prit de la résignation d'abord et de la résolution ensuite; et, au bout de la première semaine, on reconnut que l'absence de son frère lui valait mieux que sa présence. Il trouvait, dans le raisonnement que sa jalousie lui faisait en secret, un motif pour être quasi satisfait du départ de Landry. « Au moins, se disait-il, dans l'endroit où il va, et où il ne connaît personne, il ne fera pas tout de suite de nouvelles amitiés. Il s'ennuiera un peu, il pensera à moi et me regrettera. Et quand il reviendra, il m'aimera davantage. »

Il y avait déjà trois mois que Landry était absent, et environ un an que la petite Fadette avait quitté le pays, lorsqu'elle y revint tout d'un coup, parce que sa grand'-mère était tombée en paralysie. Elle la soigna d'un grand cœur et d'un grand zèle; mais l'âge est la pire des maladies; et, au bout de quinze jours, la mère Fadet rendit l'âme sans y songer. Trois jours après, ayant conduit au cimetière le corps de la pauvre vieille, ayant rangé la maison, déshabillé et couché son frère, et embrassé sa bonne marraine qui s'était retirée pour dormir dans l'autre chambre, la petite Fadette était assise bien tristement devant son petit feu, qui n'envoyait guère de clarté, et elle écoutait chanter le grelet de sa cheminée, qui semblait lui dire:

> Grelet, grelet, petit grelet,
> Toute Fadette a son Fadet.

La pluie tombait et grésillait sur le vitrage, et Fanchon pensait à son amoureux, lorsqu'on frappa à la porte, et une voix lui dit:

—Fanchon Fadet, êtes-vous là, et me reconnaissez-vous?

Elle ne fut point engourdie pour aller ouvrir, et grande fut sa joie en se laissant serrer sur le cœur de son ami Landry. Landry avait eu connaissance de la maladie de la grand'mère et du retour de Fanchon. Il n'avait pu résister à l'envie de la voir, et il venait à la nuit pour s'en aller avec le jour. Ils passèrent donc toute la nuit à causer au coin du feu, bien sérieusement et bien sagement, 5 car la petite Fadette rappelait à Landry que le lit où sa grand'mère avait rendu l'âme était à peine refroidi, et que ce n'était l'heure ni l'endroit pour s'oublier dans le bonheur. Mais, malgré leurs bonnes résolutions, ils se sentirent bien heureux d'être ensemble et de voir qu'ils 10 s'aimaient plus qu'ils ne s'étaient jamais aimés.

Comme le jour approchait, Landry commença pourtant à perdre courage, et il priait Fanchon de le cacher dans son grenier pour qu'il pût encore la voir la nuit suivante. Mais, comme toujours, elle le ramena à la raison. Elle lui 15 fit entendre qu'ils n'étaient plus séparés pour longtemps, car elle était résolue à rester au pays.

— J'ai pour cela, lui dit-elle, des raisons que je te ferai connaître plus tard et qui ne nuiront pas à l'espérance que j'ai de notre mariage. Va achever le travail que ton maître 20 t'a confié, puisque, selon ce que ma marraine m'a conté, il est utile à la guérison de ton frère qu'il ne te voie pas encore de quelque temps.

— Il n'y a que cette raison-là qui puisse me décider à te quitter, répondit Landry; car mon pauvre besson m'a 25 causé bien des peines, et je crains qu'il ne m'en cause encore. Toi, qui es si savante, Fanchonnette, tu devrais bien trouver un moyen de le guérir.

— Je n'en connais pas d'autre que le raisonnement, répondit-elle: car c'est son esprit qui rend son corps ma- 30 lade, et qui pourrait guérir l'un guérirait l'autre. Mais il a tant d'aversion pour moi, que je n'aurai jamais l'occasion de lui parler et de lui donner des consolations.

— Et pourtant tu as tant d'esprit, Fadette, tu parles si bien, tu as un don si particulier pour persuader ce que tu veux, quand tu en prends la peine, que si tu lui parlais seulement une heure, il en ressentirait l'effet. Essaie-le, je te le demande. Ne te rebute pas de sa fierté et de sa mauvaise humeur. Oblige-le à t'écouter. Fais cet effort-là pour moi, ma Fanchon, et pour la réussite de nos amours aussi, car l'opposition de mon frère ne sera pas le plus petit de nos empêchements.

Fanchon promit, et ils se quittèrent après s'être répété plus de deux cent fois qu'ils s'aimaient et s'aimeraient toujours.

XXVI

Personne ne sut dans le pays que Landry y était venu. Quelqu'un qui l'aurait pu dire à Sylvinet l'aurait fait retomber dans son mal, il n'eût point pardonné à son frère d'être venu voir la Fadette et non pas lui.

A deux jours de là, la petite Fadette s'habilla très proprement, car elle n'était plus sans sou ni maille, et son deuil était de belle sergette fine. Elle traversa le bourg de la Cosse, et, comme elle avait beaucoup grandi, ceux qui la virent passer ne la reconnurent pas tout d'abord. Elle avait considérablement embelli à la ville; étant mieux nourrie et mieux abritée, elle avait pris du teint et de la chair autant qu'il convenait à son âge, et l'on ne pouvait plus la prendre pour un garçon déguisé, tant elle avait la taille belle et agréable à voir. L'amour et le bonheur avaient mis aussi sur sa figure et sur sa personne ce je ne sais quoi [1] qui se voit et ne s'explique point. Enfin elle était non pas la plus jolie fille du monde, comme Landry se l'imaginait, mais la plus avenante, la mieux faite, la plus fraîche et peut-être la plus désirable qu'il y eût dans le pays.

5 Elle portait un grand panier passé à son bras, et entra à la Bessonnière, où elle demanda à parler au père Barbeau. Ce fut Sylvinet qui la vit le premier, et il se détourna d'elle, tant il avait de déplaisir à la rencontrer. Mais elle lui demanda où était son père avec tant d'honnêteté, qu'il 10 fut obligé de lui répondre et de la conduire à la grange, où le père Barbeau était occupé à chapuser. La petite Fadette ayant prié alors le père Barbeau de la conduire en un lieu où elle pût lui parler secrètement, il ferma la porte de la grange et lui dit qu'elle pouvait lui dire tout ce 15 qu'elle voudrait.

La petite Fadette ne se laissa pas essotir par l'air froid du père Barbeau. Elle s'assit sur une botte de paille, lui sur une autre, et elle lui parla de la sorte:

— Père Barbeau, encore que ma défunte grand'mère eût 20 du dépit contre vous, et vous du dépit contre moi, il n'en est pas moins vrai que je vous connais pour l'homme le plus juste et le plus sûr de tout notre pays. Il n'y a qu'un cri là-dessus, et ma grand'mère elle-même, tout en vous blâmant d'être fier, vous rendait la même justice. 25 De plus, j'ai fait, comme vous savez, une amitié très longue avec votre fils Landry. Il m'a souventes fois parlé de vous, et je sais par lui, encore mieux que par tout autre, ce que vous êtes et ce que vous valez. C'est pourquoi je viens vous demander un service, et vous donner 30 ma confiance.

— Parlez, Fadette, répondit le père Barbeau; je n'ai jamais refusé mon assistance à personne, et si c'est quelque chose que ma conscience ne me défende pas, vous pouvez vous fier à moi.

— Voici ce que c'est, dit la petite Fadette en soulevant son panier et en le plaçant entre les jambes du père Barbeau. Ma défunte grand'mère avait gagné dans sa vie, à donner des consultations et à vendre des remèdes, plus d'argent qu'on ne pensait: comme elle ne dépensait quasi rien et ne plaçait rien, on ne pouvait savoir ce qu'elle avait dans un vieux trou de son cellier, qu'elle m'avait souvent montré en me disant: Quand je n'y serai plus, c'est là que tu trouveras ce que j'aurai laissé: c'est ton bien et ton avoir, ainsi que celui de ton frère; et si je vous prive un peu à présent, c'est pour que vous en trouviez davantage un jour. Mais ne laisse pas les gens de loi toucher à cela, ils te le feraient manger en frais. Garde-le quand tu le tiendras, cache-le toute ta vie, pour t'en servir sur tes vieux jours, et ne jamais manquer.

Quand ma pauvre grand'mère a été ensevelie, j'ai donc obéi à son commandement; j'ai pris la clef du cellier, et j'ai défait les briques du mur, à l'endroit qu'elle m'avait montré. J'y ai trouvé ce que je vous apporte dans ce panier, père Barbeau, en vous priant de m'en faire le placement comme vous l'entendrez, après avoir satisfait à la loi que je ne connais guère, et m'avoir préservée des gros frais que je redoute.

— Je vous suis obligé de votre confiance, Fadette, dit le père Barbeau sans ouvrir le panier, quoiqu'il en fût un peu curieux, mais je n'ai pas le droit de recevoir votre argent ni de surveiller vos affaires. Je ne suis point votre tuteur. Sans doute votre grand'mère a fait un testament?

— Elle n'a point fait de testament, et la tutrice que la loi me donne c'est ma mère. Or, vous savez que je n'ai

point de ses nouvelles depuis longtemps, et que je ne sais si elle est morte ou vivante, la pauvre âme ! Après elle, je n'ai d'autre parenté que celle de ma marraine Fanchette, qui est une brave et honnête femme, mais tout à fait in-
5 capable de gérer mon bien et même de le conserver et de le tenir serré. Elle ne pourrait se défendre d'en parler et de le montrer à tout le monde, et je craindrais, ou qu'elle n'en fît un mauvais placement, ou qu'à force de le laisser manier par les curieux, elle ne le fît diminuer sans y prendre
10 garde; car la pauvre chère marraine, elle n'est point dans le cas d'en savoir faire le compte.

— C'est donc une chose de conséquence ? dit le père Barbeau, dont les yeux s'attachaient en dépit de lui-même sur le couvercle du panier; et il le prit par l'anse
15 pour le soupeser. Mais il le trouva si lourd qu'il s'en étonna, et dit :

— Si c'est de la ferraille, il n'en faut pas beaucoup pour charger un cheval.

La petite Fadette, qui avait un esprit du diable, s'amusa
20 en elle-même de l'envie qu'il avait de voir le panier. Elle fit mine de l'ouvrir; mais le père Barbeau aurait cru manquer à sa dignité en la laissant faire.

— Cela ne me regarde point, dit-il, et puisque je ne puis le prendre en dépôt, je ne dois point connaître vos
25 affaires.

— Il faut pourtant bien, père Barbeau, dit la Fadette, que vous me rendiez au moins ce petit service-là. Je ne suis pas beaucoup plus savante que ma marraine pour compter au-dessus de cent. Ensuite je ne sais pas la
30 valeur de toutes les monnaies anciennes et nouvelles, et je ne puis me fier qu'à vous pour me dire si je suis riche ou pauvre, et pour savoir au juste le compte de mon avoir.

— Voyons donc, dit le père Barbeau qui n'y tenait plus: ce n'est pas un grand service que vous me demandez là, et je ne dois point vous le refuser.

Alors la petite Fadette releva lestement les deux couvercles du panier, et en tira deux gros sacs, chacun de la 5 contenance de deux mille francs écus.

— Eh bien! c'est assez gentil, lui dit le père Barbeau, et voilà une petite dot qui vous fera rechercher par plusieurs.

— Ce n'est pas le tout, dit la petite Fadette; il y a 10 encore là, au fond du panier, quelque petite chose que je ne connais guère.

Et elle tira une bourse de peau d'anguille, qu'elle versa dans le chapeau du père Barbeau. Il y avait cent louis d'or frappés à l'ancien coin,[1] qui firent arrondir les yeux au 15 brave homme; et, quand il les eut comptés et remis dans la peau d'anguille, elle en tira une seconde de la même contenance, et puis une troisième, et puis une quatrième, et finalement, tant en or qu'en argent et menue monnaie, il n'y avait, dans le panier, pas beaucoup moins de 20 quarante mille francs.

C'était environ le tiers en plus de tout l'avoir[2] que le père Barbeau possédait en bâtiments, et, comme les gens de campagne ne réalisent guère en espèces sonnantes, jamais il n'avait vu tant d'argent à la fois. 25

Si honnête homme et si peu intéressé que soit un paysan, on ne peut pas dire que la vue de l'argent lui fasse de la peine; aussi le père Barbeau en eut, pour un moment, la sueur au front. Quand il eut tout compté:

— Il ne te manque, pour avoir quarante fois mille 30 francs, dit-il, que vingt-deux écus, et autant dire[3] que tu hérites pour ta part de deux mille belles pistoles sonnantes;

ce qui fait que tu es le plus beau parti du pays, petite Fadette, et que ton frère le sauteriot, peut bien être chétif et boiteux toute sa vie: il pourra aller visiter ses biens en carriole. Réjouis-toi donc, tu peux te dire riche et le faire assavoir, si tu désires trouver vite un beau mari.

— Je n'en suis point pressée, dit la petite Fadette, et je vous demande, au contraire, de me garder le secret sur cette richesse-là, père Barbeau. J'ai la fantaisie, laide comme je suis, de ne point être épousée pour mon argent, mais pour mon bon cœur et ma bonne renommée; et comme j'en ai une mauvaise dans ce pays-ci, je désire y passer quelque temps pour qu'on s'aperçoive que je ne la mérite point.

— Quant à votre laideur, Fadette, dit le père Barbeau en relevant ses yeux qui n'avaient point encore lâché de couver le panier, je puis vous dire, en conscience, que vous en avez diantrement rappelé, et que vous vous êtes si bien refaite à la ville que vous pouvez passer à cette heure pour une très gente fille. Et quant à votre mauvaise renommée, si, comme j'aime à le croire, vous ne la méritez point, j'approuve votre idée de tarder un peu et de cacher votre richesse, car il ne manque point de gens qu'elle éblouirait jusqu'à vouloir vous épouser, sans avoir pour vous, au préalable, l'estime qu'une femme doit désirer de son mari.

Maintenant, quant au dépôt que vous voulez faire entre mes mains, ce serait contre la loi et pourrait m'exposer plus tard à des soupçons et à des incriminations, car il ne manque point de mauvaises langues; et d'ailleurs, à supposer que vous ayez le droit de disposer de ce qui est à vous, vous n'avez point celui de placer à la légère ce qui est à votre frère mineur. Tout ce que je pourrai faire, ce sera de demander une consultation pour vous, sans vous nommer. Je vous ferai savoir alors la manière de mettre en sûreté et en bon rapport l'héritage de votre mère et le vôtre, sans passer par les mains des hommes de chicane, qui ne sont pas tous bien fidèles. Remportez donc tout ça, 5 et cachez-le encore jusqu'à ce que je vous aie fait réponse. Je m'offre à vous dans l'occasion, pour porter témoignage devant les mandataires de votre cohéritier, du chiffre de la somme que nous avons comptée, et que je vais écrire dans un coin de ma grange pour ne pas l'oublier. 10

C'était tout ce que voulait la petite Fadette, que le père Barbeau sût à quoi s'en tenir là-dessus.[1] Si elle se sentait un peu fière devant lui d'être riche, c'est parce qu'il ne pouvait plus l'accuser de vouloir exploiter Landry.

(Les renseignements que le père Barbeau a pris sur la conduite de Fadette à Château Meillant, où elle a été en service, sont des plus satisfaisants. Sylvinet résiste seul à ce changement général d'attitude qui est favorable à Fadette. Il a la fièvre et devient sérieusement malade. Enfin on envoie chercher Fadette à cause de sa connaissance des herbes, et de son habileté supposée en sorcellerie. En effet elle le guérit, mais il est à peine conscient de sa présence, car elle le quitte pendant son sommeil.)

XXVII

Je ne sais où la Fadette avait pris cette idée-là. Elle lui 15 était venu par hasard et par expérience, auprès de son petit frère Jeanet, qu'elle avait plus de dix fois ramené de l'article de la mort en ne lui faisant pas d'autre remède que de le refraîchir avec ses mains et son haleine, ou le réchauffer de la même manière quand la grand'fièvre le 20 prenait en froid.[2] Elle s'imaginait que l'amitié et la volonté d'une personne en bonne santé, et l'attouchement d'une main pure et bien vivante, peuvent écarter le mal, quand cette personne est douée d'un certain esprit et d'une grande confiance dans la bonté de Dieu. Aussi, tout le temps qu'elle imposait les mains, disait-elle en son 5 âme de belles prières au bon Dieu. Et ce qu'elle avait fait pour son petit frère, ce qu'elle faisait maintenant pour le frère de Landry, elle n'eût voulu l'essayer sur aucune autre personne qui lui eût été moins chère, et à qui elle n'eût point porté un si grand intérêt: car elle pensait que 10 la première vertu de ce remède-là, c'était la forte amitié que l'on offrait dans son cœur au malade, sans laquelle Dieu ne vous donnait aucun pouvoir sur son mal.

Et lorsque la petite Fadette charmait ainsi la fièvre de Sylvinet, elle disait à Dieu, dans sa prière, ce qu'elle lui 15 avait dit lorsqu'elle charmait la fièvre de son frère: « Mon bon Dieu, faites que ma santé passe de mon corps dans ce corps souffrant, et, comme le doux Jésus vous a offert sa vie pour racheter l'âme de tous les humains, si telle est votre volonté de m'ôter ma vie pour la donner à ce malade, 20 prenez-la; je vous la rends de bon cœur en échange de sa guérison que je vous demande. »

(Le père Barbeau, autrefois hostile à Fanchon, plutôt à cause de sa mauvaise réputation que de sa pauvreté, a un entretien avec elle. Il découvre que Landry ignore complètement l'existence de la richesse dont elle-même s'est toujours doutée, et il finit par la prier d'épouser son fils.)

XXVIII

Leurs conventions furent bientôt faites. Le mariage aurait lieu sitôt la fin du deuil de Fanchon; il ne s'agissait plus que de faire revenir Landry; mais quand la mère 25 Barbeau vint voir Fanchon le soir même, pour l'embrasser et lui donner sa bénédiction, elle objecta qu'à la nouvelle du prochain mariage de son frère, Sylvinet était retombé malade, et elle demandait qu'on attendît encore quelques jours pour le guérir ou le consoler.

— Vous avez fait une faute, mère Barbeau, dit la petite Fadette, en confirmant à Sylvinet qu'il n'avait point rêvé en me voyant à son côté au sortir de sa fièvre. A présent, son idée contrariera la mienne, et je n'aurai plus la même vertu pour le guérir pendant son sommeil. Il se peut même qu'il me repousse et que ma présence empire son mal.

— Je ne le pense point, répondit la mère Barbeau; car tantôt, se sentant mal, il s'est couché en disant: « Où est donc cette Fadette ? M'est avis [1] qu'elle m'avait soulagé. Est-ce qu'elle ne reviendra plus ? » Et je lui ai dit que je venais vous chercher, dont il a paru content et même impatient.

— J'y vais, répondit la Fadette; seulement, cette fois, il faudra que je m'y prenne autrement, car, je vous le dis, ce qui me réussissait avec lui lorsqu'il ne me savait point là, n'opérera plus.

— Et ne prenez-vous donc avec vous ni drogues ni remèdes? dit la mère Barbeau.

— Non, dit la Fadette: son corps n'est pas bien malade, c'est à son esprit que j'ai affaire; je vas essayer d'y faire entrer le mien, mais je ne vous promets point de réussir. Ce que je puis vous promettre, c'est d'attendre patiemment le retour de Landry et de ne pas vous demander de l'avertir [2] avant que nous n'ayons tout fait pour ramener son frère à la santé. Landry me l'a si fortement recommandé que je sais qu'il m'approuvera d'avoir retardé son retour et son contentement.

Quand Sylvinet vit la petite Fadette auprès de son lit, il parut mécontent et ne lui voulut point répondre comment il se trouvait. Elle voulait lui toucher le pouls, mais il retira sa main, et tourna sa figure du côté de la ruelle [1] du 5 lit. Alors la Fadette fit signe qu'on la laissât seule avec lui, et quand tout le monde fut sorti, elle éteignit la lampe et ne laissa entrer dans la chambre que la clarté de la lune, qui était toute pleine dans ce moment-là. Et puis elle revint auprès de Sylvinet, et lui dit d'un ton de com- 10 mandement auquel il obéit comme un enfant:

— Sylvinet, donnez-moi vos deux mains dans les miennes, et répondez-moi selon la vérité; car je ne me suis pas dérangée pour de l'argent, et si j'ai pris la peine de venir vous soigner, ce n'est pas pour être mal reçue et mal 15 remerciée de vous. Faites donc attention à ce que je vas demander et à ce que vous allez me dire, car il ne vous serait pas possible de me tromper.

— Demandez-moi ce que vous jugerez à propos, Fadette, répondit le besson, tout essoti de s'entendre parler si 20 sévèrement par cette moqueuse de petite Fadette, à laquelle, au temps passé, il avait si souvent répondu à coups de pierres.

— Sylvain Barbeau, reprit-elle, il paraît que vous souhaitez mourir.

25 Sylvain trébucha un peu dans son esprit avant de répondre, et comme la Fadette lui serrait la main un peu fort et lui faisait sentir sa grande volonté, il dit avec beaucoup de confusion:

— Ne serait-ce pas ce qui pourrait m'arriver de plus 30 heureux, de mourir, lorsque je vois bien que je suis une peine et un embarras à ma famille par ma mauvaise santé et par . . .

— Dites tout, Sylvain, il ne me faut rien céler.

— Et par mon esprit soucieux que je ne puis changer, reprit le besson tout accablé.

— Et aussi par votre mauvais cœur, dit la Fadette d'un ton si dur qu'il en eut de la colère et de la peur encore 5 plus.

XXIX

— Pourquoi m'accusez-vous d'avoir un mauvais cœur ? dit-il; vous me dites des injures, quand vous voyez que je n'ai pas la force de me défendre.

— Je vous dis vos vérités, Sylvain, reprit la Fadette, 10 et je vais vous en dire bien d'autres. Je n'ai aucune pitié de votre maladie, parce que je m'y connais assez pour voir qu'elle n'est pas bien sérieuse, et que, s'il y a un danger pour vous, c'est celui de devenir fou, à quoi vous tentez de votre mieux, sans savoir où vous mènent votre malice 15 et votre faiblesse d'esprit.

— Reprochez-moi ma faiblesse d'esprit, dit Sylvinet; mais quant à ma malice, c'est un reproche que je ne crois point mériter.

— N'essayez pas de vous défendre, répondit la petite 20 Fadette; je vous connais un peu mieux que vous ne vous connaissez vous-même, Sylvain, et je vous dis que la faiblesse engendre la fausseté; et c'est pour cela que vous êtes égoïste et ingrat.

— Si vous pensez si mal de moi, Fanchon Fadet, c'est 25 sans doute que mon frère Landry m'a bien maltraité dans ses paroles, et qu'il vous a fait voir le peu d'amitié qu'il me portait, car, si vous me connaissez ou croyez me connaître, ce ne peut être que par lui.

— Voilà où je vous attendais,[1] Sylvain. Je savais bien que vous ne diriez pas trois paroles sans vous plaindre de votre besson et sans l'accuser; car l'amitié que vous avez pour lui, pour être trop folle et désordonnée, tend à se changer en dépit et en rancune. A cela je connais que vous êtes à moitié fou, et que vous n'êtes point bon. Eh bien ! je vous dis, moi, que Landry vous aime dix mille fois plus que vous ne l'aimez, à preuve qu'il ne vous reproche jamais rien, quelque chose que vous lui fassiez souffrir, tandis que vous lui reprochez toutes choses, alors qu'il ne fait que vous céder et vous servir. Comment voulez-vous [2] que je ne voie pas la différence entre lui et vous ? Aussi, plus Landry m'a dit de bien de vous, plus de mal j'en ai pensé, parce que j'ai considéré qu'un frère si bon ne pouvait être méconnu que par une âme injuste.

— Aussi, vous me haïssez, Fadette ? je ne m'étais point abusé là-dessus, et je savais bien que vous m'ôtiez l'amour de mon frère en lui disant du mal de moi.

— Je vous attendais encore là, maître Sylvain, et je suis contente que vous me preniez enfin à partie. Eh bien ! je vas vous répondre que vous êtes un méchant cœur et un enfant du mensonge, puisque vous méconnaissez et insultez une personne qui vous a toujours servi et défendu dans son cœur, connaissant pourtant bien que vous lui étiez contraire; une personne qui s'est cent fois privée du plus grand et du seul plaisir qu'elle eût au monde, le plaisir de voir Landry et de rester avec lui, pour envoyer Landry auprès de vous et pour vous donner le bonheur qu'elle se retirait. Je ne vous devais pourtant rien. Vous avez toujours été mon ennemi, et, du plus loin que je me souvienne, je n'ai jamais rencontré un enfant si dur et si hautain que vous l'étiez avec moi. J'aurais pu souhaiter d'en tirer vengeance et l'occasion ne m'a pas manqué. Si je ne l'ai point fait et si je vous ai rendu à votre insu le bien pour le mal, c'est que j'ai une grande idée de ce qu'une âme chrétienne doit pardonner à son prochain pour plaire à Dieu. Mais, quand je vous parle de Dieu, sans 5 doute vous ne m'entendez guère, car vous êtes son ennemi et celui de votre salut.

— Je me laisse dire par vous bien des choses, Fadette; mais celle-ci est trop forte, et vous m'accusez d'être un païen. 10

— Est-ce que vous ne m'avez pas dit tout à l'heure que vous souhaitiez la mort ? Et croyez-vous que ce soit là une idée chrétienne ?

— Je n'ai pas dit cela, Fadette, j'ai dit que . . . Et Sylvinet s'arrêta tout effrayé en songeant à ce qu'il avait 15 dit, et qui lui paraissait impie devant les remontrances de la Fadette.

Mais elle ne le laissa point tranquille, et, continuant à le tancer:

— Il se peut, dit-elle, que votre parole fût plus mauvaise 20 que votre idée, car j'ai bien dans la mienne[1] que vous ne souhaitez point tant la mort qu'il vous plaît de le laisser croire afin de rester maître dans votre famille, de tourmenter votre pauvre mère qui s'en désole, et votre besson qui est assez simple pour croire que vous voulez mettre fin 25 à vos jours. Moi, je ne suis pas votre dupe, Sylvain. Je crois que vous craignez la mort autant et même plus qu'un autre, et que vous vous faites un jeu de la peur que vous donnez à ceux qui vous chérissent. Cela vous plaît de voir que les résolutions les plus sages et les plus nécessaires 30 cèdent toujours devant la menace que vous faites de quitter la vie; et, en effet, c'est fort commode et fort doux

de n'avoir qu'un mot à dire pour faire tout plier autour de soi. De cette manière, vous êtes le maître à tous ici. Mais, comme cela est contre nature, et que vous y arrivez par des moyens que Dieu réprouve, Dieu vous châtie, vous
5 rendant encore plus malheureux que vous ne le seriez en obéissant au lieu de commander. Et voilà que vous vous ennuyez d'une vie qu'on vous a faite trop douce. Je vais vous dire ce qui vous a manqué pour être un bon et sage garçon, Sylvain. C'est d'avoir eu des parents bien rudes,
10 beaucoup de misère, pas de pain tous les jours et des coups bien souvent. Si vous aviez été élevé à la même école que moi et mon frère Jeanet, au lieu d'être ingrat, vous seriez reconnaissant de la moindre chose. Tenez, Sylvain, ne vous retranchez pas sur votre bessonnerie.[1] Je sais qu'on
15 a beaucoup trop dit autour de vous que cette amitié bessonnière était une loi de nature qui devait vous faire mourir si on la contrariait, et vous avez cru obéir à votre sort en portant cette amitié à l'excès; mais Dieu n'est pas si injuste que de nous marquer pour un mauvais sort avant
20 même que nous soyons nés. Il n'est pas si méchant que de nous donner des idées que nous ne pourrions jamais surmonter, et vous lui faites injure, comme un superstitieux que vous êtes, en croyant qu'il y a dans le sang de votre corps plus de force et de mauvaise destinée qu'il
25 n'y a dans votre esprit de résistance et de raison. Jamais, à moins que vous ne soyez fou, je ne croirai que vous ne pourriez pas combattre votre jalousie, si vous le vouliez. Mais vous ne le voulez pas, parce qu'on a trop caressé le vice de votre âme, et que vous estimez moins votre devoir
30 que votre fantaisie.

Sylvinet ne répondit rien et laissa la Fadette le réprimander bien longtemps encore sans lui faire grâce d'aucun blâme.[1] Il sentait qu'elle avait raison au fond, et qu'elle ne manquait d'indulgence que sur un point: c'est qu'elle avait l'air de croire qu'il n'avait jamais combattu son mal et qu'il s'était bien rendu compte de son égoïsme; tandis qu'il avait été égoïste sans le vouloir et sans le savoir. 5 Cela le peinait et l'humiliait beaucoup, et il eût souhaité lui donner une meilleure idée de sa conscience. Quant à elle, elle savait bien qu'elle exagérait, et elle le faisait à dessein de lui tarabuster beaucoup l'esprit avant de le prendre par la douceur et la consolation. Elle se forçait donc pour 10 lui parler durement et pour lui paraître en colère, tandis que, dans son cœur, elle sentait tant de pitié et d'amitié pour lui, qu'elle était malade de sa feinte, et qu'elle le quitta plus fatiguée qu'elle ne le laissait.[2]

(La santé de Sylvinet s'améliore rapidement. Fanchon et lui deviennent très bons amis.)

XXX

La mère Barbeau ne pouvait assez s'émerveiller de 15 l'habileté de la petite Fadette, et, le soir, elle disait à son homme: « Voilà Sylvinet qui se porte mieux qu'il n'a fait depuis six mois; il a mangé de tout ce qu'on lui a présenté aujourd'hui, sans faire ses grimaces accoutumées, et ce qu'il y a de plus imaginant, c'est qu'il parle de la petite 20 Fadette comme du bon Dieu. Il n'y a pas de bien qu'il ne m'en ait dit, et il souhaite grandement le retour et le mariage de son frère. C'est comme un miracle, et je ne sais pas si je dors ou si je veille. »

— Miracle ou non, dit le père Barbeau, cette fille-là a 25 un grand esprit, et je crois bien que ça doit porter bonheur de l'avoir dans une famille.

Sylvinet partit trois jours après pour aller quérir son frère à Arthon.[1] Il avait demandé à son père et à la Fadette, comme une grande récompense, de pouvoir être le premier à lui annoncer son bonheur.

5 — Tous les bonheurs me viennent donc à la fois, dit Landry en se pâmant de joie dans ses bras, puisque c'est toi qui viens me chercher, et que tu parais aussi content que moi-même.

Ils revinrent ensemble sans s'amuser en chemin, comme 10 on peut croire, et il n'y eut pas de gens plus heureux que les gens de la Bessonnière quand ils se virent tous attablés pour souper avec la petite Fadette et le petit Jeanet au milieu d'eux.

La vie leur fut bien douce à tretous pendant une demi-15 année; car la jeune Nanette fut accordée à Cadet Caillaud, qui était le meilleur ami de Landry après ceux de sa famille. Et il fut arrêté que les deux noces se feraient en même temps. Sylvinet avait pris pour la Fadette une amitié si grande qu'il ne faisait rien sans la consulter, et elle avait 20 sur lui tant d'empire qu'il semblait la regarder comme sa sœur. Il n'était plus malade, et de jalousie il n'en était plus question. Si quelquefois encore il paraissait triste et en train de rêvasser, la Fadette le réprimandait, et tout aussitôt il devenait souriant et communicatif.

25 Les deux mariages eurent lieu le même jour et à la même messe, et, comme le moyen ne manquait pas, on fit de si belles noces que le père Caillaud, qui, de sa vie, n'avait perdu son sangfroid, fit mine d'être un peu gris le troisième jour. Rien ne corrompit la joie de Landry et 30 de toute la famille, et mêmement on pourrait dire de tout le pays; car les deux familles, qui étaient riches, et la petite Fadette, qui l'était autant que les Barbeau et les

Caillaud tout ensemble, firent à tout le monde de grandes honnêtetés et de grandes charités. Fanchon avait le cœur trop bon pour ne pas souhaiter de rendre le bien pour le mal à tous ceux qui l'avaient mal jugée. Mêmement par la suite, quand Landry eut acheté un beau bien qu'il gouvernait on ne peut mieux [1] par son savoir et celui de sa femme, elle y fit bâtir une jolie maison, à l'effet d'y recueillir tous les enfants malheureux de la commune durant quatre heures par chaque jour de la semaine, et elle prenait elle-même la peine, avec son frère Jeanet, de les instruire, de leur enseigner la vraie religion, et même d'assister les plus nécessiteux dans leur misère. Elle se souvenait d'avoir été une enfant malheureuse et délaissée, et les beaux enfants qu'elle mit au monde furent stylés de bonne heure à être affables et compatissants pour ceux qui n'étaient ni riches ni choyés.

Mais qu'advint-il de Sylvinet au milieu du bonheur de sa famille ? une chose que personne ne put comprendre et qui donna grandement à songer au père Barbeau. Un mois environ après le mariage de son frère et de sa sœur, comme son père l'engageait aussi à chercher et à prendre femme, il répondit qu'il ne se sentait aucun goût pour le mariage, mais qu'il avait depuis quelque temps une idée qu'il voulait contenter, laquelle était d'être soldat et de s'engager.

Comme les mâles ne sont pas trop nombreux dans les familles de chez nous, et que la terre n'a pas plus de bras qu'il n'en faut, on ne voit quasiment jamais d'engagement volontaire. Aussi chacun s'étonna grandement de cette résolution, de laquelle Sylvinet ne pouvait donner aucune autre raison, sinon sa fantaisie et un goût militaire que personne ne lui avait jamais connu. Tout ce que surent dire ses père et mère, frères et sœurs, et Landry lui-même, ne put l'en détourner, et on fut forcé d'en aviser Fanchon, qui était la meilleure tête et le meilleur conseil de la famille.

Elle causa deux grandes heures avec Sylvinet, et quand on les vit se quitter, Sylvinet avait pleuré, sa belle-sœur aussi; mais ils avaient l'air si tranquilles et si résolus, qu'il n'y eut plus d'objections à soulever lorsque Sylvinet dit qu'il persistait, et Fanchon, qu'elle approuvait sa résolution et en augurait pour lui un grand bien dans la suite des temps.

Comme on ne pouvait pas être bien sûr qu'elle n'eût pas là-dessus des connaissances plus grandes encore que celles qu'elle avouait, on n'osa point résister davantage, et la mère Barbeau elle-même se rendit, non sans verser beaucoup de larmes. Landry était désespéré; mais sa femme lui dit: « C'est la volonté de Dieu et notre devoir à tous de laisser partir Sylvain. Crois [1] que je sais bien ce que je te dis, et ne m'en demande pas davantage. »

Landry fit la conduite à son frère le plus loin qu'il put, et quand il lui rendit son paquet, qu'il avait voulu tenir jusque-là sur son épaule, il lui sembla qu'il lui donnait son propre cœur à emporter. Il revint trouver sa chère femme, qui eut à le soigner; car pendant un grand mois le chagrin le rendit véritablement malade.

Quant à Sylvain, il ne le fut point, et continua sa route jusqu'à la frontière; car c'était le temps des grandes belles guerres de l'empereur Napoléon. Et, quoiqu'il n'eût jamais eu le moindre goût pour l'état militaire, il commanda si bien à son vouloir, qu'il fut bientôt remarqué comme bon soldat, brave à la bataille comme un homme qui ne cherche que l'occasion de se faire tuer, et pourtant doux et soumis à la discipline comme un enfant, en même temps qu'il était dur à son propre corps comme les plus anciens. Comme il avait reçu assez d'éducation pour avoir de l'avancement, il en eut bientôt, et, en dix années de temps, de fatigues, de courage et de belle conduite, 5 il devint capitaine, et encore avec la croix [1] par-dessus le marché.

— Ah ! s'il pouvait enfin revenir ! dit la mère Barbeau à son mari, le soir après le jour où ils avaient reçu de lui une jolie lettre pleine d'amitiés pour eux, pour Landry, pour 10 Fanchon, et enfin pour tous les jeunes et vieux de la famille: le voilà quasiment général, et il serait bien temps pour lui de se reposer !

— Le grade qu'il a est assez joli sans l'augmenter, dit le père Barbeau, et cela ne fait pas moins un grand honneur 15 à une famille de paysans !

— Cette Fadette avait bien prédit que la chose arriverait, reprit la mère Barbeau. Oui-da qu'elle l'avait annoncé !

— C'est égal, dit le père, je ne m'expliquerai jamais 20 comment son idée a tourné tout à coup de ce côté-là, et comment il s'est fait un pareil changement dans son humeur, lui qui était si tranquille et si ami de ses petites aises.

— Mon vieux, dit la mère, notre bru en sait là-dessus 25 plus long [2] qu'elle n'en veut dire; mais on n'attrape pas une mère comme moi, et je crois bien que j'en sais aussi long que notre Fadette.

— Il serait bien temps de me le dire, à moi ! reprit le père Barbeau. 30

— Eh bien, répliqua la mère Barbeau, notre Fanchon est trop grande charmeuse, et tellement qu'elle avait

charmé Sylvinet plus qu'elle ne l'aurait souhaité. Quand elle vit que le charme opérait si fort, elle eût voulu le retenir ou l'amoindrir; mais elle ne le put, et notre Sylvain, voyant qu'il pensait trop à la femme de son frère, est
5 parti par grand honneur et grande vertu, en quoi la Fanchon l'a soutenu et approuvé.

— Si c'est ainsi, dit le père Barbeau en se grattant l'oreille, j'ai bien peur qu'il ne se marie jamais, car la baigneuse de Clavières [1] a dit, dans les temps, que lors-
10 qu'il serait épris d'une femme, il ne serait plus si affolé de son frère; mais qu'il n'en aimerait jamais qu'une en sa vie, parce qu'il avait le cœur trop sensible et trop passionné.

NOTES

Page 1. — 1. **la Cosse**; in France it is very common for farms to have names. These are often so old that their origin and significance are unknown.

2. **pas mal dans ses affaires,** *in rather easy circumstances.*

3. **à preuve qu'il était,** *as is shown by his being.*

4. **journaux** may be translated *acres;* the word is derived from *jour* and originally meant as much land as a man could plow in a day.

5. **Mêmement,** provincial for *même.*

6. **bordures** here refers to the edges of the fields.

Page 2. — 1. **parrain**; it is a common custom in France to name a child after its godfather or godmother.

Page 3. — 1. **le premier venu** is a common expression for *any one, every one.*

Page 4. — 1. **Quand l'âge leur vint,** *when they became somewhat older.*

2. **cheval percheron**; the Percheron horses originated in *La Perche,* the old name of a district in western France; they are usually dapple-gray in color, and hence the comparison with a "*pie*" in line 30.

3. **n'en cherchaient pas si long,** *didn't think so far.*

Page 5. — 1. **de rire et de prendre**; the so-called historical infinitive is often used in lively narration instead of the indicative. It is usually best translated by supplying some form of *commencer.*

Page 7. — 1. **eurent fait leur première communion**; the first Communion (Lord's Supper) is the formal induction into the church; in France this usually takes place at the age of ten or twelve years. The words may be translated: *had been confirmed.*

2. **le service** usually means the military service; **au service,** *in the army.*

Page 8. — 1. **grand'peur**; in old French such adjectives as Latin *grandis* had the same form for both genders. The apostrophe here, by a misunderstanding, was inserted to show the loss of an (imaginary) *e*.

2. **Qu'est-ce que ça me fait,** *what does that matter to me?*

Page 9. — 1. **Ça se dit comme ça,** *that is easily said.*

2. **se mettre après,** to "*get after*" is a colloquialism for *attaquer*.

Page 10. — 1. **dedans** is dialectic for *dans;* also **par ainsi** for *ainsi*.

2. **tirer à la courte paille,** *to draw lots;* lit., 'to pull at a short straw.'

3. **pile et face,** are, respectively, the reverse and obverse of a coin; *tail and head.*

4. **ne l'était point encore à le voir,** *was not yet reconciled to seeing him;* the *l* refers to *décidé*.

Page 11. — 1. **leurs père et mère,** colloquial for *leur père et leur mère;* this idiom occurs frequently.

Page 12. — 1. **Je vas** is common in colloquial language for *je vais*.

Page 13. — 1. **aimer d'amour** usually means *to love* as the word is commonly used in English, while **aimer d'amitié** means *to be good friends.*

2. **La voilà . . . regarder,** *there she is now beginning to look at.*

Page 15. — 1. **Bessonnière,** as the context shows, is a word invented by the neighbors and may be translated "*Twinnery.*"

Page 16. — 1. **sornette** usually means *silly talk,* but here means about the same as *sobriquet.*

Page 17. — 1. **Il aurait été**; *être* is often used for *aller*.

2. The peasant of Berry commonly speaks of his wife as "la femme de chez nous."

3. **une âme en peine,** *a soul in torment,* usually refers to purgatorial torment.

4. **qui pût faire entendre raison à son frère,** *who could make his brother listen to reason; frère* is translated as if it were the direct object of *faire*, while it is really the indirect object of

the verb-phrase *faire entendre.* The subjunctive *pût* is due to the negative preceding.

Page 20. — 1. **s'en retourna,** in modern French, *retourna.* In old French *en* (Latin *inde*) was used with many verbs of motion to indicate the place from which the motion proceeded. Now it is rarely used except in *s'en aller.*

Page 21. — 1. **à la prochaine Saint-Jean,** *on next St. John's Day,* June 24, on which day servants were commonly hired; *prochaine* agrees with *fête,* understood.

2. **ne se pouvait vaincre;** the usual arrangement would be *ne pouvait se vaincre;* the author in her stories of rustic life often uses antiquated words and constructions.

Page 22. — 1. **devant,** in modern French would be *avant* or *auparavant;* see the latter part of the preceding note.

2. **Peut-être** shows here its original verbal force, *it may be,* thus accounting for the following *que.*

Page 24. — 1. **Finot,** a dog-name, is a diminutive of *fin; Sharp* or *Smart* would be an English equivalent.

Page 25. — 1. **Elle . . . accroire,** *she was somewhat of an impostor; accroire* is used only with *faire* and means to believe something that is not true.

Page 26. — 1. **tant vieille,** etc., would be in modern French, *si vieille et mal nourrie qu'elle fût;* **si . . . que,** *however.*

2. **en savait encore plus long,** *knew more about it.* The following expletive *ne* is due to the comparative *plus;* see also note 3 to page 4.

Page 27. — 1. **Le voilà donc de courir,** *therefore he ran;* lit., 'there he is, therefore, running'; *courir* is the historical infinitive; see note 1 to page 5 and note 2 to page 13.

2. **s'en retourna,** see note 1 to page 20.

3. **du côté de chez nous,** *in our part of the country.*

Page 29. — 1. **Adoncques,** old French for *donc.*

Page 30. — 1. **pour bien . . . nez dans,** *Landry almost struck his fist and nose against;* for the meaning of *être,* see note 1 to page 17.

2. **un quelqu'un** is provincial for *quelqu'un.*

3. **Il n'y a . . . envie,** *Fadette has no more desire than cricket has.* She does not feel disposed to relent simply because he has called her "Fadette" instead of "grelet" as he usually did.

Page 33. — 1. **rien ne lui coûtera,** *nothing will be too hard for her;* i.e., she will do anything.

Page 35. — 1. **dans la quantité** means *many*, and it may refer either to *orage* or to *vergnes*, probably the former; translate, *there is not one of the many storms*, etc.

Page 36. — 1. **à qui,** supply *était* after *qui*.

2. **peut-être bien,** for *il peut bien être;* see note 2 to page 22.

Page 38. — 1. **comme quoi** is often used for *comment*.

2. **non plus tant,** *not so much.*

Page 39. — 1. **ses père et mère,** see note 1 to page 11.

Page 40. — 1. **Croix des bossons;** in some parts of France there are crosses (or crucifixes) at almost every crossroad, and many of them have names that the oldest inhabitant cannot explain.

2. **joua des sabots,** *used his wooden shoes.* He struck the horse with his heels.

3. **s'en fut,** see note 1 to page 17.

Page 41. — 1. **faisait . . . tête,** *turned her head on purpose.*

Page 42. — 1. **se moquant de sa bessonnerie,** *made fun of his being a twin;* **bessonnerie** is a coined word and may be translated *twinship*, see note 1 to page 15.

Page 44. — 1. **se donner du bon temps,** *to have a good time.*

Page 45. — 1. **à la Fadette;** the uneducated often express the possessive relation by *à* instead of *de*.

2. **Croix-au Lièvre,** see note 1 to page 40.

3. **désorienter,** *to lose oneself*, here means about the same as its opposite **s'orienter,** *to get one's bearings.* His object was to "lose" the direction in which he had gone and so take a new start.

Page 47. — 1. **et des mieux appris,** *and of the best taught;* he was a good hand at the business.

2. **Peut-être que,** see note 2 to page 22.

Page 48. — 1. **s'ensauver,** see note 1 to page 20.

Page 50. — 1. **je n'ai . . . prendre,** *I didn't know how to go about it.*

Page 51. — 1. **A cette fois,** provincial for *cette fois.*

Page 52. — 1. **grand'fiance,** see note 1 to page 8.

2. **la** (**fête de**) **Saint-Andoche,** *Saint Andoche's Day,* Sept. 24.

3. **bourrée,** a kind of contra-dance, usually in $\frac{3}{4}$ time, popular in Central France.

4. **Angelus,** a prayer said morning, noon, and night. It has its name from the word with which it begins. The evening bell is here meant.

Page 53. — 1. **on ne peut mieux,** *so that one couldn't do it better;* a common expression meaning *in the best manner.*

Page 54. — 1. **jamais . . . enlevée,** *never was a "bourrée" in better time or more spirited.*

2. **par merveille,** provincial for *à merveille.*

Page 55. — 1. **s'en fut,** see note 1 to page 17.

Page 56. — 1. **des plus jeunes . . . appris,** *of the youngest, of course, and the least well-bred.*

2. **au grand calot;** *au* is frequently used in exclamations, as *au feu, au secours.* "Look" may be supplied in this sentence.

3. **qui fait la belle,** *pretending* (or *trying*) *to be pretty.*

4. **passer** here means *to pass an examination,* so as to be received into the company of sorcerers.

5. **mener les loups;** this refers to a superstition that certain persons could charm wolves so as to lead them at will.

6. **n'y ait;** there is here an evident confusion between the comparative and superlative constructions. The former is usually followed by *ne,* the latter not, so that the sentence is incorrect. The subjunctive is due to the superlative.

Page 57. — 1. **figure chrétienne,** *human face. Chrétien* often means "human being."

2. **Angelus,** see note 4 to page 52.

3. **comme il faut** (usually pronounced *comifo*) is here equal to an adjective, *respectable, well-bred.*

4. **rien que de se montrer,** *merely by showing himself*

Page 58. — 1. **un . . . fait,** *something in him of a grown-up man.* **Je ne sais quoi** is often used as an indefinite pronoun, nearly equal to *quelque chose.*

2. **les Aladenise et les Alaphilippe** are young men mentioned in a part of the book omitted from this edition.

3. **qui avaient la tête de plus,** *who were a head taller.*

4. **se battre . . . considérer,** *to fight for so little was to be deliberated on;* i.e., whether the game was really worth the candle.

Page 59. — 1. **été,** see note 1 to page 17.

2. **je te rends ta parole,** *I give you back your word;* i.e., I shall not insist farther on your keeping your promise.

3. **comme quoi,** see note 1 to page 38.

Page 60. — 1. **vas,** see note 1 to page 12.

2. **chat-écurieux** is provincial for **écureuil,** *squirrel.*

Page 61. — 1. **tu cherches à le paraître,** *you try to appear so; le* refers to the idea expressed in the words *donnée aux mauvais esprits.*

2. **en ont,** *find fault;* **en** refers to some indefinite antecedent; here it might refer to *torts.*

3. **on te saurait . . . entendement,** *they would be more grateful to you for what you have more than they in your understanding;* i.e., if you conducted yourself more properly, people would sometimes be glad that you know more than they do, because you can help them in their troubles.

Page 62. — 1. **vous autres riches,** *you rich people;* **vous** (also *nous*) is often thus used where it should not be translated.

2. **si long** = *tant;* see note 3 to page 4.

3. **la première pierre venue,** *any stone whatever;* see note 1 to page 3.

Page 63. — 1. **un chacun,** provincial for *chacun.*

Page 64. — 1. Translate **personnes** as the direct object of **entends**; see note 4 to page 17.

Page 66. — 1. **qu'est-ce qui,** colloquial for *qui est-ce qui.*

Page 67. — 1. **s'ensuit**; *il* is sometimes omitted before impersonal verbs.

Page 71. — 1. **firent,** colloquial for *dirent.*

2. **Georgeon,** a name locally applied to an imp or emissary of Satan; translate *Old Nick.*

Page 72. — 1. **pour être douce,** *although it was low* (or *gentle*).

Page 74. — 1. **vous disputer,** *to contend for with you;* **vous** is indirect object.

Page 75. — 1. **ruelle** is the space between the bed and the wall. The expression here means that he got out of the bed on the rear side.

2. **s'en fut,** see note 1 to page 17.

3. **Force lui fut** = *il fut forcé.*

Page 76. — 1. **avant qu'elle fût sonnée,** *before the bell rang for it.*

2. **gredots peilleroux; mendiants loqueteux.** The meaning of the two expressions is the same; the former being provincial, the latter is added in explanation.

3. **préface** here refers to a part of the mass.

Page 77. — 1. **elle a voulu . . . était,** *she has wished to become beautiful from (being) ugly as she was.*

2. **Traîne-au-Gendarme,** *Gendarme's Path.* **Traîne** in Berry means *a shady road.*

3. **la corvée;** before the Revolution, French peasants were often obliged to do a great deal of work for their landlords for which they received no pay. Such work was called *la corvée.* Martineau's "The Peasant and the Prince" gives an idea of the peasant's condition.

Page 80. — 1. **Voilà tout mon droit,** *that's all I have to say.* The phrase is peculiar and is perhaps nearly equivalent to *voilà tout ce que j'ai le droit de dire.*

Page 82. — 1. **la tour à Jacot,** see note 1 to page 45.

2. **bois de coupe,** *wood for cutting,* that is, trees cut at regular intervals; Eng. *coppice.*

Page 85. — 1. **à mordre sur,** *to pick at, find fault with.*

Page 86. — 1. **son intérêt à lui,** *his own interest;* **à lui** is added merely for emphasis.

Page 87. — 1. **sa première communion,** see note 1 to page 7. — **d'aller au catéchisme,** *of going to recite his catechism.*

Page 88. — 1. **menait la cuve,** *was driving the vat* (to the vineyard); *cuve* here means the large vat or tub in which the grapes were placed.

Page 89. — 1. **Château-Meillant** and the places mentioned in the next line are near Nohant, George Sand's home.

2. **frontal,** a straw pad on the forehead of the oxen against which the yoke rests.

Page 90. — 1. **vas,** see note 1 to page 12.

Page 95. — 1. **je ne sais quoi,** see note 1 to page 58.

Page 99. — 1. **frappés à l'ancien coin,** *of the old coinage;* lit., 'struck with the old die (or stamp).' The French *coin* is etymologically the same as the English "coin," (Latin *cuneus*) but always means the instrument with which the metal is stamped, not the stamped metal as in English.

2. **C'était . . . l'avoir,** *that was about a third more than all the wealth.*

3. **autant dire,** *as much as to say; one may say.*

Page 101. — 1. **sut . . . dessus,** *should know how matters stood.*

2. **quand . . . froid,** *when the high fever turned to a chill;* for *grand'fièvre,* see note 1 to page 8.

Page 103. — 1. **M'est avis,** colloquial for **il m'est avis,** *it is my opinion.*

2. The negative in this line belongs to **avertir** rather than to **demander.**

Page 104. — 1. **ruelle,** see note 1 to page 75.

Page 106. — 1. **Voilà où je vous attendais,** *that's what I was expecting of you.*

2. **Comment voulez-vous,** *how can you expect?*

Page 107. — 1. **la mienne** refers to *idée.*

Page 108. — 1. **ne vous . . . bessonnerie,** *don't try to excuse yourself by the fact that you are a twin;* lit., 'don't entrench yourself in your twinship.'

Page 109. — 1. **sans lui . . . blâme,** *without sparing him any blame* (or *reproach*).

2. **qu'elle . . . laissait,** *when she left him she was more tired than he was;* it is almost impossible to translate this literally, since both *quitta* and *laissait* mean *left.*

Page 110. — 1. **Arthon** is about 14 miles west of Nohant; see note 1 to page 89.

Page 111. — 1. **on ne peut mieux,** see note 1 to page 53.

Page 112. — 1. **Crois,** for *je crois;* the omission of the pronoun belongs to the colloquial or antiquated style.

Page 113. — 1. **la croix,** *the Cross* (of the Legion of Honor) was given to those who had done some notable deed. The order was founded by Napoleon in 1802.

2. **en sait . . . long,** *knows more about it;* see note 3 to page 4.

Page 114. — 1. **la baigneuse de Clavières** was a kind of quack like Fadette's grandmother, and is spoken of in a portion of the book omitted from this edition. **Clavières,** a village near Nohant.

VOCABULARY

Words the spelling and meaning of which are alike, or nearly so, in English and French, have generally been omitted, as have also the commoner pronouns and prepositions.

A

abaisser humble
abandonner forsake
abattre demolish, overthrow
abonder abound, be abundant
abord *m.* approach; **d' —, tout d'—** first of all, at first
aborder speak to
abri *m.* shelter; **à l'—** sheltered
abriter shelter
absolument absolutely
absorber absorb, take up
abstenir (s') abstain
abuser deceive
abusi–f, –ve abusive, deceitful
accabler oppress, discourage
accepter accept
accointance *f.* acquaintance, familiarity
accommoder (s') put up with
accord *m.* agreement
accorder grant, give
accoster address
accoter lean
accourir run, come up
accoutumance *f.* habit
accoutumer accustom; **s'—** get used to
accuser accuse
acheter buy
achever finish
acquérir acquire
acquit *m.* discharge, receipt
acquitter (s') discharge
admirer admire
admonestation *f.* admonition
adonc now
adoucir soften, calm
adroit, –e skillful; cunning
advenir happen
affaiblir enfeeble, weaken
affaire *f.* business, matter; **avoir — à** have to deal with
affecter like
affectionner love
affener feed
affilé, –e sharp
affiner deceive
affliger grieve
affolement *m.* infatuation
affoler infatuate
affronter face
afin de in order to

agacer annoy, tease
agasse *f.* magpie
âgé, -e old
agencer arrange
agenouillé, -e kneeling
agenouiller kneel
agir act; **il s'agit** it is a question
agiter shake, move
agneau *m.* lamb
agrandir enlarge
agréer please
aider aid, help
aiguille *f.* needle
aiguillon *m.* goad
aile *f.* wing
ailleurs elsewhere; **d'—** besides
aimable agreeable, lovable
aimer love, like; **— mieux** prefer
aîné, -e elder, first-born
aînesse *f.* primogeniture; **droit d'—** birthright
ainsi thus, therefore; **— que** like, as well as, as; *see* **pour**
air *m.* appearance
aise *f.* ease, comfort, pleasure
aise pleased, glad
aisé, -e easy
aisément easily
ajouter add, give
ajuster adjust, yoke, hitch
alentour *m.* vicinity
alerte lively, brisk
aller go; **s'en —** go away
allonger extend, give, aim
allons come, all right !
allure *f.* manner, behavior
alors then
alourdir render heavy, dull
amant, -e lover
âme *f.* soul, heart
améliorer (s') improve
amender correct, improve
amener bring
amèrement bitterly
amertume *f.* bitterness
ami, -e friend; *adj.* fond
amiteusement kindly
amiteu-x, -se (*prov.*) friendly, affectionate
amitié *f.* friendship; kind words
amoindrir lessen
amour *m.* love
amourette *f.* flirtation, love affair
amoureu-x, -se lover
amoureu-x, -se in love
amour-propre *m.* self-love, pride
amuser amuse
amusette *f.* trifle, toy
an *m.* year
ancien, -ne ancient, old, former
ange *m.* angel
angoisse *f.* anguish, pain
angoissé, -e distressed
anguille *f.* eel
animer animate, excite
année *f.* year
annoncer announce; predict
anse *f.* handle
apaiser appease, calm
apercevoir perceive, see

apitoyer move to pity
aplomb *m.* self-possession
apparemment apparently
apparence *f.* appearance, sign, mark
appartenir belong
appeler name, call
appétit *m.* appetite
applaudir applaud
appliquer apply
apporter bring
apprendre learn, teach
apprêter prepare
appris, -e trained, bred, taught
apprivoiser tame, calm
approcher (s') come near
approuver approve of, justify
appuyer support
après after, afterwards
araignée *f.* spider
aranelle (*prov.*) *f.* spider
arbre *m.* tree
ardent, -e burning, bright
ardeur *f.* ardor, warmth
argent *m.* silver; money
arracher pull out
arranger arrange
arrêter decide; **s'—** stop
arriver arrive; happen, take place
arrondir make round; open wide (**les yeux**)
article; l'— de la mort the point of death
assavoir *prov. for* **savoir**
assécher dry up
asseoir (s') sit down
assez enough, rather
assis, -e seated, sitting
assistant, -e spectator
assuré, -e sure
assurer affirm, maintain; assure
attablé seated (*at table*)
attache *f.* attachment, affection
attacher tie, fasten
attarder (s') be out late
attendre wait for, wait
attendrir make tender, move
attifage *m.* finery, toggery
attifer dress
attirer draw, attract
attouchement *m.* touching
attraper catch, receive
attribuer attribute
aube *f.* dawn
aucun, -e any
au-dessus (de) above
au-devant (de) towards
augmenter increase, exaggerate
augurer suppose, conjecture, prophesy
aujourd'hui to-day
aumaille *f.* beast, animal
auparavant previously
auprès (de) near to
aussi as, also, yet, therefore
aussitôt immediately; **— que** as soon as
autant (de) as much, as many; so much, so many; **d'— plus** all the more
auteur *m., f.* author; cause
automne *m., f.* autumn

autorité *f.* authority
autour (de) around, about
autre other
autrefois formerly
autrement otherwise
avalé, -e sloping
avancement *m.* promotion
avancer advance, go forward
avant before; **en —** forward
avantage *m.* advantage
avec with
avenant, -e pleasing
avenir *m.* future
aventure *f.* adventure; **à l'—** at random
avertir warn, inform
avilir vilify, decry
avis *m.* opinion; **il m'est —** I think
avisé, -e circumspect, wary, wise
aviser inform, consider; **s'—** think of, notice
avoir *m.* possessions, property
avoir have; **— beau** in vain
avouer confess, admit

B

babiller chatter
badaud *m.* booby, idler
badiner joke
bafouer scoff, jeer at
baigneuse *f.* bathhouse keeper
bailler give
bâiller yawn, gape
baiser *m.* kiss
baiser kiss
baisser lower
balai *m.* broom
ballot *m.* pack
banc *m.* bench
baptême (p *silent*) *m.* baptism
barbe *f.* beard
barguigner haggle, hesitate
barre *f.* bar, rail
bas *m.* bottom, lower end; stocking
bas, -se low; **à —** down
basse-cour *f.* poultry yard
bataille *f.* battle
bâtiment *m.* building
bâtir build, make, construct
bâton *m.* stick, staff
battre beat; **se —** fight
bavard, -e chatterer
bavarder gossip, talk
bavousette *f.* bib
beau, bel, belle handsome, fine; avoir — in vain
beaucoup much, many; **de —** by far
bêler bleat
belle *f.* beauty
belle-sœur *f.* sister-in-law
bénédiction *f.* blessing
bénir bless
bénit, -e consecrated
berceau *m.* cradle
bercer rock
berge *f.* brink, edge
besogne *f.* work
besoin *m.* need
besson, -ne twin
bessonnet *m.* little twin

bessonnière of twins
bestiaux *m. pl.* cattle
bétail *m.* cattle
bête *f.* animal, beast; *adj.* stupid
bêtise *f.* stupidity
biaisant (en) obliquely
bien *m.* good, wealth, estate, farm
bien *adv.* well; indeed; very, many, much; **si — que** so that; **Eh — !** very well!
bientôt soon
bisbille *f.* bickering, quarrel
blaireau *m.* badger
blâmer blame, reproach
blanc, -he white
blanchir whiten
blé *m.* wheat
blesser wound, hurt
blessure *f.* wound, hurt
bleu, -e blue
blouse *f.* loose coat (*worn over other clothes*)
bœuf *m.* ox
boire drink; **— un bon coup** be nearly drowned
bois *m.* wood, forest; **— de coupe** wood lot
boisseau *m.* bushel
boisson *f.* drink
boiter limp
boiteu-x, -se lame
bon, -ne good
bonheur *m.* happiness, good luck
bonjour *m.* good morning, good day
bonsoir *m.* good evening, good-bye
bonté *f.* kindness, goodness
bord *m.* edge, bank
bordure *f.* border
bosson *m.* knob, hill
botte *f.* bunch, bundle
bouche *f.* mouth
bouchure *f.* hedge
boucler curl, tangle
bouder be angry
bouderie *f.* sulkiness, sullenness
boudeu-r, -se sulky person
bouger budge, move
boule *f.* ball
bouleverser upset, agitate
bourg *m.* town
bourse *f.* purse
bout *m.* end, piece; **pousser à —** tease, exasperate
branchage *m.* branches
branche *f.* branch, bough
branchée *f.* branch, sprig
branle *m.* motion, movement
bras *m.* arm; **sur les —** on one's hands
brave honest, elegant
bravement bravely
breuvage *m.* drink
bride *f.* bridle
brin *m.* blade, bit
brique *f.* brick
broncher stumble, falter
brouillard *m.* fog
broussailles *f. pl.* brush, bushes
bru *f.* daughter-in-law
bruit *m.* noise; report; talk

brûler burn
brûlure *f.* burn
brun, -e brown
brune *f.* twilight, dusk
buisson *m.* bush
bureau (*dialect.*) brown

C

ça *familiar for* **cela**
cabaret *m.* tavern, wine shop
cacher hide, conceal
cachette *f.* hiding-place
cadeau *m.* present
cadet *m.* younger brother
cadet, -te younger
cadran *m.* dial
caille *f.* quail
caillou *m.* pebble
califourchon; à — astride
câlin, -e affectionate
câliner coax, caress
calot *m.* cap
camarade *m., f.* comrade
campagne *f.* country
canette *f.* young duck
cape *f.* cape, cloak
capet *m.* hood
capitaine *m.* captain
caquet *m.* gossip, chatter
car for, because
caresser caress, flatter
carrer (se) strut
carrière *f.* quarry, stony ground
carriole *f.* cart, gig
cas *m.* case, condition; **faire — de** value highly
casquette *f.* cap
casser break
cause *f.* cause, origin; **à — que** because
causer cause; chat, talk
causerie *f.* conversation, talk
causette *f.* chat, talk
causeu-r, -se talkative
cayenne *f.* cap, headdress
ce this, that, it
ceci this
céder give up, yield
ceinture *f.* belt, waist
cela that
celer hide, conceal
cellier *m.* cellar, storeroom
celui this, that one
celui-ci, celui-là this one, that one
cendroux (*dialect. for* **cendreu-x, -se**) covered with ashes, dirty
censé, -e supposed
cent hundred
cependant yet, nevertheless
certain, -e certain, sure; *pl.* some
certes assuredly, truly
cervelle *f.* brains
cet *m.*, **cette** *f.* this, that
ceux *pl. of* **celui**
chacun, -e each, every one
chagrin *m.* grief, sorrow
chagriner vex, grieve
chaîne *f.* chain
chair *f.* flesh
chaleur *f.* warmth
chambre *f.* room
champ *m.* field

chance *f.* luck
chanceu-x, -se uncertain, doubtful
chandelle *f.* candle
changement *m.* change
changer change
chanson *f.* song
chant *m.* song, singing
chanter sing, sound
chantonner sing, hum
chapeau *m.* hat
chapelle *f.* chapel
chapuser (*dialect.*) cut, shape, do carpenter work
chaque each, every
charger load, burden; charge; **se —** take charge
charité *f.* charity, alms
charme *m.* charm, spell
charmer bewitch, charm, soothe
charmeu-r, -se charmer, enchanter
charrière *f.* wagon road
charroi *m.* cartload; **à pleins —s** by the cartload
charrue *f.* plow
chat, -te cat; **— grillé** dwarf, runt
châtier punish
châtiment *m.* punishment
chatouiller tickle, flatter
chaud, -e warm, hot
chauffer warm
chaume *m.* stubble
chaussure *f.* footgear
chauve-souris *f.* bat
chebril *m., dialect. for* **chevrillon**
chemin *m.* road, path; **— faisant** on the way
cheminée *f.* fireplace, chimney
chènevière *f.* hemp field
chenille *f.* caterpillar
ch-er, -ère dear
chercher seek, look for, beg
chérir cherish, love
chéti-f, -ve frail, delicate
cheval *m.* horse
chevaline *f.* horse, mare
cheveu *m.* hair
cheville *f.* ankle
chèvre *f.* goat
chevrillon *m.* kid
chez in, with; at the house of
chicane *f.* trick, trickery
chicherie *f.* meanness, stinginess
chien, -ne dog
chiffre *m.* figure; amount
choisir choose
choix *m.* choice
chômer be idle, be slow
choquer hurt, offend
chose *f.* thing; **pas grand'—** good-for-nothing
chouette *f.* screech owl
choyer treat kindly, care for
chrétien, -ne Christian
chuchoter whisper
chute *f.* fall
ciel *m.* heaven, sky
cimetière *m.* cemetery
cinq five
cinquante fifty
clair, -e clear, bright
clameur *f.* outcry, noise

clarté *f.* clearness, light
clef *f.* (f *silent*) key
cloche *f.* bell
clopant limping
clos, -e closed, enclosed
clou *m.* nail
clouer nail
cœur *m.* heart; courage; **avoir le — haut** be proud
cohéritier *m.* co-heir
coiffage *m.*, **coiffe** *f.* cap, headdress
coiffé, -e be dressed (*head*)
coiffer (se) fall in love
coiffure *f.* headdress
coin *m.* corner, nook; stamp, die; **— du feu** chimney corner
colère *f.* anger, rage
collier *m.* necklace; collar
colombier *m.* pigeon house
colon *m.* planter, farmer
colporteur *m.* pedlar
combattre fight, resist
combien how much, how many
commande *f.* order
commandement *m.* command, order
commander command, require, order; **— à** control
comme as, like, as it were
commencer begin
comment how
commerce *m.* commerce, business, trade
commère *f.* madam
commettre commit
commode convenient
commun, -e common
communal *m.* common
commune *f.* parish
comparaison *f.* comparison
compatissant, -e compassionate
complaire please, humor
comploter plot
comportement *m.* behavior
comporter (se) behave
composer compound, compose
comprendre understand, comprehend
compromettre compromise
compte *m.* account; **se rendre —** realize, be aware; **en fin de —** after all
compter count, expect
concevoir conceive, understand
conclure conclude
condamner condemn
condition *f.* service
conduire lead, drive, guide, take, escort
conduite *f.* conduct, escort
confesser admit
confiance *f.* confidence, reliance
confier confide, entrust
confins *m. pl.* confines, borders
confirmer confirm, assert
confondre confound, confuse
confus, -e confused, embarrassed
congé *m.* leave, holiday
conjurer conjure, invoke
connaissance *f.* knowledge, acquaintance

connaître know
conscient, -e conscious
conseil *m.* advice, counsel, council
conseiller advise
consentir consent
conséquemment consequently
conserver preserve
considérer consider, regard, esteem
consoler console, comfort
construire construct, build
consumer consume, wear out
conte *m.* tale, story
contenance *f.* capacity, countenance; **faire bonne —** be brave *or* cheerful
contenir contain, restrain
content, -e pleased, glad
contentement *m.* satisfaction
contenter content, satisfy
conter tell
continuel, -le constant
continuer continue
contraire *m.* opposite, contrary
contrairement contrary
contrarier contradict, oppose
contre against, contrary to
convenable suitable, becoming
convenablement becomingly
convenir agree; suit; admit, be suitable
convention *f.* agreement
coq *m.* cock
coquet, -te coquettish, stylish, fond of dress
coquetterie *f.* coquetry, love of dress
coquin, -e rogue
cordialement heartily
corillette (*prov.*) *f.* bolt
corme *f.* sorb, sorb apple
corne *f.* horn
cornet *m.* horn, horn lantern
cornu, -e horned
corporé built, shaped
corps *m.* body
correction *f.* punishment
corriger correct
corrompre spoil
corsage *m.* bodice, waist
cosse *f.* shell, stump
cosson *m.* lump, clod
côte *f.* slope, hillside
côté *m.* side, direction; **d'un —** on the one hand
cotillon *m.* skirt, petticoat
cou *m.* neck
coucher lay down, lie, sleep; **se —** go to bed, lie down
coudre sew
couler flow
couleur *f.* color, pretext
coup *m.* blow, stroke, blast; **pour le —** this time; **tout à —, tout d'un —** suddenly; **encore un —** once more; **du —** at once
coupable guilty, culpable
couper cut; interrupt, break
coupure *f.* cut
courageu-x, -se courageous
courant *m.* current, course
coureuse *f.* street walker, tramp
courir run

courroucer anger
course *f.* run, journey, excursion
court, -e short
courtiser court
coussin *m.* cushion, pillow
couteau *m.* knife
coûter cost, be painful, be hard
coutume *f.* custom, habit; **de** — usually, ordinarily
couvent *m.* convent
couver look longingly at
couvercle *m.* lid, cover
couvert, -e covered
couvraille *f.* sowing
couvrir cover
craindre fear
crainte *f.* fear
crainti-f, -ve timid
cravate *f.* necktie
crèche *f.* manger, crib
crédule credulous
crème *f.* cream
creuser dig, search; **se** — become deeper
creux *m.* hollow, depth
creu-x, -se hollow, deep
crever break, burst
cri *m.* cry, shout, report
cri-cri *m.* cricket
crier cry, shout
crin *m.* horsehair, mane
critiquer criticize
crochu, -e crooked, misshapen
croire believe, think
croisée *f.* window
croiser cross, meet
croît *m.* growth, growing
croître grow
croix *f.* cross
croûton *m.* crust
croyance *f.* belief
cueillir gather
culotte *f.* breeches
cultiver cultivate
curé *m.* priest
curieusement curiously
curieu-x, -se curious, inquisitive
cuve *f.* vat, tub

D

daigner condescend
dame zounds! well!
dans in, into
danse *f.* dance
danser dance
danseu-r, -se partner
davantage more, longer
débarrasser rid
débattre (se) fight, struggle
débaucher, corrupt, lead astray
debout upright, standing
débrouiller arrange, settle
décéder die
décès *m.* decease, death
déchirer tear, break
déchirure *f.* tear, rent, break
décidé, -e bold, resolute
décider decide, resolve; **se** — make up one's mind
déclarer declare, state
décoiffer take off the hat *or* cap
découverte *f.* discovery

découvrir discover, reveal
décrochement *m.* loosening, displacement
dédaigner despise
dedans inside, within
dédommager compensate, reward
défaire destroy, undo, loosen
défait, -e undone; exhausted
défaut *m.* defect, fault; **faire —** betray, fail
défendre defend, forbid; **se — de** deny
défense *f.* prohibition
défunt, -e deceased
dégager (se) start
dégât *m.* damage, destruction
dégourdi, -e quick, sharp
dégoût *m.* disgust, aversion
dégoûté, -e disgusted
déguiser disguise; conceal
dehors outside, out of doors
déjà already
déjeuner breakfast
délaisser leave, abandon
délier release, unyoke
délire *m.* delirium
délivrer deliver
déloger remove
demain to-morrow
demande *f.* request
demander ask
démarche *f.* step, action
démener (se) struggle, squirm
demeurance (*dialect.*) *f.* dwelling
demeurer live, reside
demi, -e half
démonter disconcert
démontrer show, explain
démordre renounce, give up
dénier refuse
denrée *f.* provisions, goods
dent *f.* tooth
dentelle *f.* lace
départ *m.* departure
dépasser pass
dépendance *f.* subjection
dépendre depend, be attached to
dépens *m. pl.* expense
dépenser spend
dépérir waste away
dépit *m.* spite, anger; **de —** out of spite
dépiter vex, annoy
déplacer take away
déplaire displease, anger
déplaisant, -e unpleasant, disagreeable
déplaisir *m.* displeasure, annoyance
dépôt *m.* deposit, trust
dépouiller strip
depuis since, from; **— que** from the time that
déraciner uproot
déranger trouble, disturb
derechef again
derni-er, -ère last
derrière *m.* rear
derrière behind
dès from
désaccoutumer disaccustom, get out of a habit
descendre descend, go down

désert, -e deserted, unfrequented
désespérer despair, lose hope
désespoir *m.* despair
déshabiller undress
désintéressement *m.* disinterestedness
désirer desire, wish
désolant, -e grievous
désolé, -e mournful, grieved
désoler (se) grieve
désordonné, -e disordered; excessive
dessein *m.* design; **à —** intentionally
dessin *m.* design, pattern
dessous below, underneath; **en —** slyly, secretly
dessus above, on, thereon
destinée *f.* destiny, fate
détemcer disturb, interrupt
détester dislike
détour *m.* turning, circuit
détourner turn aside, turn around
détruire destroy
deuil *m.* mourning
deux two; **tous (les) —** both
dévaler go down
devant before; **— soi** straight ahead
devanteau (*dialect.*) *m.* apron
devenir become
deviner guess, discover
deviser talk
dévoiler reveal, disclose
devoir *m.* duty
devoir owe; be obliged, must
dévotement devoutly
dévouement *m.* devotion, unselfishness
diable *m.* devil
diablesse *f.* she-devil, witch
diabolique diabolical, of the Evil One
diantrement mightily, greatly
Dieu *m.* God
difficile difficult, hard to please
difficilement with difficulty
digne worthy
dimanche *m.* Sunday
diminuer diminish
dîner *m.* dinner
dîner dine
dire say, tell
diriger direct
disconvenir deny
discours *m.* speech
discr-et, -ète discreet, prudent
discrètement quietly, discreetly
discuter discuss
disgracié, -e ungraceful, deformed
disparaître disappear
disputer dispute, quarrel
dissiper (se) disappear
distinguer distinguish
distraire distract, divert, amuse
diversieux contrary
divertir amuse
divertissant, -e amusing
divination *f.* suspicion, inkling
diviser divide
divulguer proclaim, reveal
dix ten

dix-huit eighteen
dix-sept seventeen
doigt *m.* finger, toe
domaine *m.* farm, property
domestique *m., f.* servant
dommage *m.* damage, injury
don *m.* gift, present
donc therefore, then
donner give, strike
donneur giver
dont with which, of which, whom
dorénavant hereafter
dorloter coddle
dormir sleep
dos *m.* back
dot *f.* (*dott*) marriage portion
doucement gently, sweetly, slowly
douceur *f.* sweetness, pleasantness, gentleness
douer endow with
doute *f.* doubt
douter doubt; **se** — suspect
douteu-x, -se doubtful
dou-x, -ce sweet, agreeable, gentle, soft
douze twelve
drap *m.* cloth; — **de lit** sheet
dressage *m.* dress
dresser raise, erect
drogue *f.* drug, remedy
droguet *m.* drugget
droit, -e straight, right; **au — de** in front of, opposite
droit *m.* right
drôle droll, funny
drôlement curiously, strangely
drôlerie *f.* joke, raillery
drôlesse *f.* worthless woman
dru, -e thick, vigorous
dû, due due (to) *past part. of* **devoir**
dur, -e harsh, hard
durant during
durement harshly, roughly
durer last, continue
dureté *f.* harshness, rudeness

E

eau *f.* water
ébattre enjoy, amuse
ébiganché crooked, misshapen
éblouir dazzle
éboulement *m.* slipping, falling down
ébouriffé, -e dishevelled, unkempt
ébruiter divulge, noise abroad
écart; à l'— apart
écarter separate, put aside, keep off
échange *m.* exchange
échanger exchange
échapper escape
échauffer warm, heat
éclaircir clear up, enlighten
éclat *m.* noise; scandal
éclopé, -e lame, crippled
écluse *f.* sluice; floodgate
école *f.* school
écoléré, -e angry
écorner chip, break
écouter listen, hear
écraser crush

écrire write
écu *m.* dollar, money
effacer efface, erase
effet *m.* effect, impression, purpose
efforcer (s') try
effrayer frighten
égal, -e like, equal; **c'est —** be that as it may
également equally
égard *m.* regard, respect; **à l'— de** with respect to
égaré, -e lost, strayed
égarer lead astray
égayer make gay
église *f.* church
égoïsme *m.* egotism, selfishness
égoïste egotistic, selfish
élan *m.* outburst
élevage *m.* breeding
élever raise, bring up
éloigné, -e distant
éloignement *m.* distance; aversion
éloigner send away; **s'—** go away
émalicer (*dialect.*) tease
embarras *m.* embarrassment, trouble
embarrasser embarrass; **s'—** become confused
embellir make *or* become (more) beautiful
embrasser embrace, kiss
embrouillement *m.* embarrassment, confusion
embrouiller confuse, embarrass
émerveiller (s') wonder
emmêler entangle
emmener lead, take, carry away
émoi *m.* emotion, anxiety
émotionner move
empêchement *m.* hindrance, obstacle
empêcher prevent, hinder, embarrass
empereur *m.* emperor
empire *m.* power, influence
empirer make worse
emplâtre *m.* plaster, poultice
employer employ
emporter carry away
empreinte *f.* imprint, impression
encaissement *m.* bank, elevation
encombrer obstruct
encontre; à l'— de against
encore still, yet
encourager encourage
endimanché, -e in Sunday clothes
endommager damage
endormi, -e asleep, sleepy
endormir put to sleep, bewitch, deceive, delude; **s'—** fall asleep
endosse *f.* burden
endroit *m.* place, part; **à l'— de** with regard to
endurer bear
enfant *m., f.* child
enfarge *f.* hopple, fetter
enfin at last, finally

enflambé, -e excited, inflamed
enfler swell, inflate
enflure *f.* swelling
enfoncer break in, force
enfourcher bestride, mount
engagement *m.* engagement, promise, enlistment, pledge
engager pledge, exhort, engage, induce; **s'—** enlist
engendrer beget, cause
engourdi, -e slow
enhardir make bold; **s'—** have the courage
enjôler wheedle, beguile
enjoliver beautify
enlever take away
ennemi, -e enemy
ennui *m.* loneliness, worry, uneasiness, grief, annoyance
ennuyer tire, annoy, injure; **s'—** be homesick, be lonesome
enrager become angry
ensauver *provincial for* **sauver**
enseignement *m.* instruction
enseigner teach, tell
ensemble together
ensevelir bury
ensorceler bewitch
ensuite afterwards, then
ensuivre follow
entacher stain, taint
ente *f.* graft
entendement *m.* understanding, agreement, intelligence
entendre hear, listen, understand
entendu, -e intelligent
enti-er, -ère entire, complete, entirely
entièrement entirely
entour *m.* surroundings, neighborhood
entrain *m.* animation
entraîner influence, draw along
entre between, among, in
entrer enter
entretenir keep
entretien *m.* conversation, interview
envers towards; **à l'—** inside out
envie *f.* discontent, desire
environ about, nearly
envoler (s') fly away
envoyer send, send out; **— chercher** send for
épais, -se thick, dense, bushy
épancher (s') talk freely
épargner spare
épaule *f.* shoulder
épelette *f.* tool, instrument
épeurer (*prov.*) frighten
épier spy, watch
épine *f.* thorn
époque *f.* date
épouser marry
épreuve *f.* test, trial
épris, -e smitten, in love
éprouver test, feel
épuiser exhaust
escalier *m.* stairs, staircase
escorter escort
espèce *f.* species, kind; **—s sonnantes** coin, hard cash
espérance *f.* hope

espérer hope, expect
esprit *m.* wits, mind, spirit; character
esquiver avoid
essai *m.* trial, test, experiment
essayer try
essotir disturb, confuse
essuyer wipe, dry
estime *f.* esteem, (good) opinion
estimer value, esteem
estomac *m.* stomach
estropison *m.* laming, lameness
étable *m.* stable
établir establish, place
état *m.* state, profession
éteindre extinguish, put out
étendre extend, spread
étoffe *f.* quality, matter, ability
étoile *f.* star
étonnement *m.* astonishment
étonner astonish, surprise
étouffer stifle, overwhelm
étourderie *f.* thoughtlessness
étrange strange
étrang-er, -ère *m., f.* stranger; *adj.* strange
être be
étroit, -e narrow
étudier study
eux them
éveiller awake, waken
éviter avoid
exagérer exaggerate
examiner examine, inspect
excès *m.* excess
exemple *m.* example
exercer exercise, practise
exigeant, -e exacting
exiger require, demand
exister exist
exorciser exorcise
expier expiate, atone for
explication *f.* explanation
expliquer explain; **s'—** talk, reason
exploiter exploit, work
exposer expose, show, explain
exprès intentionally

F

face; en — opposite, in front
fâché, -e angry
fâcher anger, displease; **se —** get angry
fâcherie *f.* quarrel
fâcheu-x, -se annoying
façon *f.* manner, cut, fashion
façonner fashion, form
fade fairy
fadet *m.* fairy, elf
fadette *f.* fairy, elf
faible feeble, weak
faiblesse *f.* weakness, fault, faintness, swoon
faillir come near
fainéantise *f.* idleness, laziness
faire make, do, cause; **— voir** show; **— du bien** do good
fait *m.* fact, deed; **tout à —** altogether
faîte *m.* top
falloir be necessary
famé, -e; bien — of good repute

famille *f.* family
Fanchon Fanny
fantaisie *f.* fancy, whim, caprice
farfadet, -te fairy, elf
fatiguer fatigue, tire
fausseté *f.* deceit, hypocrisy
faute *f.* fault, mistake
fauti-f, -ve faulty, at fault
fau-x, -sse wrong; **à —** wrongly
faveur *f.* favor
fée *f.* fairy
feindre feign, pretend
feinte *f.* pretense, artifice
femelle female
femme *f.* woman, wife
fendre split, break
fénil *m.* hayloft
fer *m.* iron
férié, -e without work; **jour —** holiday
fermage *m.* farming, farm
ferme *f.* farm, farmhouse
fermer close, shut
ferrage *m.* iron (tool)
ferraille *f.* old iron
fête *f.* holiday, festivity
feu *m.* fire, ardor
feu-follet *m.* will-o'-the-wisp
feuillage *m.* foliage, leaves
feuille *f.* leaf; **faire de la —** gather leaves
fiance (*prov.*) *f.* confidence
ficher fix
fichu *m.* neckerchief
fidèle faithful, honest
fidélité *f.* faithfulness
fier trust; **se — à** rely on
fi-er, -ère proud; strong, famous
fièrement proudly
fierté *f.* pride, haughtiness
fièvre *f.* fever
figure *f.* form, face, appearance
fil *m.* thread, current
filer run away, move quickly
filet *m.* small stream
fille *f.* girl, daughter
fillette *f.* little girl
fils *m.* son
fin *f.* end, aim; **en — de compte** after all
fin, -e fine, pure, delicate; **—-fond** very bottom
finalement finally
finement skillfully
fin-fond *m.* very bottom
finir finish, end
flairer smell
flatter flatter, caress
flatteu-r, -se flattering, pleasing
fleur *f.* flower, blossom
foi *f.* faith, belief
foin *m.* hay
foire *f.* fair (*market*)
fois *f.* time; **à la —** at once; **à des —** at times
folâtrer sport, play
folie *f.* folly, nonsense
follement madly, foolishly
follet, -te goblin; **feu —** will-o'-the-wisp, goblin
folleté *f.* folly, madness
fond *m.* bottom, hollow place;

au — in reality; **fin-** — very bottom
fondu, -e sunk
force *f.* power, strength; **à fine** — by sheer force; **c'est** — it is necessary; **à — de** by dint of
forcer compel
former make
fort, -e strong, large, loud, hard; much, very
fortement strongly
fortifier strengthen, comfort
fossé *m.* ditch
fou *m.* fool
fou, fol, folle foolish, silly, crazy, in love
fouailler whip
fouet *m.* whip
fougère *f.* fern
fouler trample down, oppress, worry
foulure *f.* sprain, contusion
fourrage *m.* forage, fodder
fourrager forage, ravage
fourreau *m.* frock, child's dress
frais *m.* expense
fra-is, -îche fresh, blooming
fraise *f.* strawberry
franc, -he real, genuine
François Francis
Françoise Frances
frapper strike, knock
fréquenter frequent, visit often, associate with
frère *m.* brother
frétiller frisk, tremble, splash
frime *f.* pretense
froid *m.* cold
froid, -e cold
froidir become cold, cool
front *m.* forehead
frontal *m.* frontlet
frontière *f.* frontier
frotter rub
fructifier bear fruit
fugace fugitive, fleeting
fuir flee, fly, avoid
fuite *f.* flight
fureter search
furieusement furiously, madly
fusil *m.* gun

G

gage *m.* pay, wages, salary
gager bet
gagner gain, reach, seize, attach
gai, -e lively
gaiement gaily
gaieté *f.* mirth, cheerfulness
galant *m.* lover, attendant
galoper gallop
galopin *m.* urchin
gamin, -e street arab, vagabond
garçon *m.* boy
garçonnet *m.* little boy
garde *f.* protection, care, notice; **n'avoir — de** take care not to
garder keep, retain; **se — de** be careful not to
gardien *m.* guardian, keeper

gars *m.* boy, lad (*pron. gâ*)
gâter dirty, soil
gauche left
gausser (se) ridicule, laugh at
gazon *m.* grass, sod
gazonner cover with grass
gazouiller sing, warble
gémir groan, moan
gendarme *m.* armed policeman, soldier
gendre *m.* son-in-law
gêner inconvenience; **se —** hesitate
genou *m.* knee
gens *m. pl.* people
gent, -e pretty (*old French*)
gentil, -le pretty, graceful, fine, nice
gentillement nicely, agreeably
gérer manage
glace *f.* ice
gland *m.* acorn, tassel
glisser slip, slide
glorifier (se) rejoice, be glad
gosier *m.* throat
goût *m.* taste, liking
goûter taste, like
gouverner manage
grâce *f.* favor, thanks
gracieu-x, -se kind, obliging
grade *m.* rank
graine *f.* seed
grand, -e large, tall, great
grandement greatly, extremely
grandir grow, become tall
grand'mère *f.* grandmother
grange *f.* barn
grappe *f.* bunch
gras, -se fat
gratter scratch
gré *m.* will, inclination; **savoir —** feel kindly
gredot *m.* beggar, tramp
grelet, -te cricket
grelotter shiver, tremble
grenier *m.* attic
grenouille *f.* frog
grésillement *m.* crackling
grésiller patter
grillé *see* **chat**
grillette *f. of* **grillon**
grillon *m.* cricket
grimace *f.* wry face
gris, -e tipsy
grobille *f.* twig
gronder scold, rumble, roar
gros, -se large, great; **avoir le cœur —** have a heavy heart
gros much
grossir enlarge, grow
grouiller rumble, roar
gué *m.* ford
guenille *f.* rag, tatter
guenillière *f.* raggery, rag place
guenillon *m.* ragamuffin
guêpe *f.* wasp
guère (ne) scarcely, not much
guérir cure
guérison *f.* cure, healing
guerre *f.* war
guigne *f.* cherry

H

habile clever, skillful
habileté *f.* cleverness, skill

habillement *m.* garments, attire
habiller dress, clothe
habit *m.* garment, coat
habiter inhabit, live in
habitude *f.* habit; **à l'—** usually
habituer accustom
haïr hate
haïssable odious, hateful
haleine *f.* breath; **d'une —** in one breath, without stopping
hardes *f. pl.* clothes
hardi, -e bold
hardiesse *f.* courage, boldness, assurance
hasard *m.* chance
hâte *f.* haste
hâteu-x, -se (*prov.*) in haste
haut *m.* top
haut, -e high, loud
hautain, -e haughty, proud
hautainement haughtily, superciliously
hauteur *f.* height, hill, haughtiness, pride
hé ho!
hélas alas!
herbage *m.* pasture, grass
herbe *f.* herb, grass; **mauvaise —** weed
herbu, -e grassy
héritage *m.* inheritance, field
hériter inherit
hériti-er, -ère heir, heiress
heure *f.* hour, time; **à la bonne —** good; **de bonne —** early; **tout à l'—** presently, just now
heureu-x, -se happy, lucky
heurter hit, run against
hier yesterday
hiver *m.* winter
hocher shake
homme *m.* man
honnête polite, honest, honorable
honnêtement politely
honnêteté *f.* honesty, civility, kindness
honneur *m.* honor
honorer honor, respect
honte *f.* shame; **mauvaise —** bashfulness; **avoir —** be ashamed
honteu-x, -se timid, shameful, ashamed
hormis except
hors out of, outside of
huit eight; **— jours** a week
humain, -e human, humane; *noun* human being
humblement humbly
humeur *f.* humor, ill-humor, disposition
humide damp
humilier humiliate, humble
huppé, -e tufted, crested

I

ici here; **par —** hereabouts
idée *f.* idea, thought, notion
ignorer be ignorant of

imaginant, -e (*prov.*) astonishing
imaginer imagine, believe
imbécile stupid, silly
imbriaque stupid, fool
imiter imitate
impatienter provoke, vex
impie wicked
importer matter, be of consequence; **n'importe** no matter
imposer lay, place
imputer attribute, ascribe
incarnat, -e flesh color, rosy
incliner be inclined
indiquer show, indicate, instruct in
inférer infer
infidèle faithless
ingrat, -e ungrateful
injure *f.* insult, wrong
injurier insult, abuse
injuste unjust
innocemment innocently
innocent, -e simpleton
inqui-et, -ète uneasy, restless
inquiéter trouble, worry
inquiétude *f.* trouble, uneasiness
insensé, -e mad, crazy
insolence *f.* insolent word
inspirer inspire
instruire instruct, teach
insu (*ignorance*); **à l'— de** without the knowledge of; **à mon —** without my knowledge
insulter insult
intéresser interest
intérêt *m.* interest
interrompre interrupt
intimité *f.* intimacy
intrigue *f.* plot
introuvable undiscoverable, not to be found
inutile useless
invectiver insult, abuse
inventer invent
inviter invite
invoquer invoke, call upon
ivre intoxicated

J

jalousie *f.* jealousy, dislike
jalou-x, -se jealous
jamais never, ever; **à tout —** forever
jambe *f.* leg
jambe (mal) crooked legged
jappe *f.* gift of gab
jardin *m.* garden
jaune yellow
jaunir become yellow
Jeanet Johnny
jeter throw, cast
jeu *m.* game, jest, amusement, play, use
jeudi *m.* Thursday
jeune young
jeunesse *f.* youth, young people
joie *f.* joy, pleasure
joindre unite, join, meet
joli, -e pretty, pleasing
jonc *m.* rush, reed

joncière *f.* marsh, place where rushes grow
joue *f.* cheek
jouer play, move; **se — de** trick, deceive
joug *m.* yoke
jour *m.* day, light, daylight; **le petit —** daybreak
journée *f.* day, day's work
jouxte close, near
joyeu-x, -se merry, glad
judicieu-x, -se judicious, wise
juge *m.* judge
juger judge, believe, think
jume-au, -lle twin
jument *f.* mare
jupon *m.* skirt, petticoat
jurer swear
jusque, jusqu'à until, till, as far as, to
juste just, correct; **au —** exactly
justement precisely, justly

L

là there; **là-dessus** on that, thereupon
labour *m.* plowing
labourage *m.* plowing, cultivation
labourer plow
laboureur *m.* plowman, farmer
lâche *m.* coward
lâche loose, languid, lazy
lâcher loosen, let go, cease
lâcheté *f.* baseness, cowardice
là-dessus about it, on that, thereupon
laid, -e ugly
laideron *f.* ugly person
laideur *f.* ugliness
laine *f.* wool
laisser leave, let, allow
lait *m.* milk
lamenter lament
lampe *f.* lamp
langage *m.* language
langue *f.* tongue
langueur *f.* languor, weakness
lanterne *f.* lantern
large broad, wide
larme *f.* tear
las, -se tired
laver wash
leçon *f.* lesson
lég-er, -ère light, lightly; **à la —** rashly
légèreté *f.* lightness, agility
légume *m.* vegetable
lendemain *m.* next day, day after
lequel, laquelle who, which
lessive *f.* washing
leste nimble, agile
lestement quickly
levain *m.* leaven, yeast
lever raise, lift; **se —** rise
liberté *f.* liberty, freedom
libre free
licence *f.* permission
lier tie, attach, hitch
lieu *m.* place, occasion; **avoir —** take place; **au —** instead,

in place of; **au — que** whereas
lieue *f.* league
lièvre *m.* hare
lilas lilac-colored
linge *m.* linen
linot *m.* linnet
lisser smooth
lit *m.* bed
livre *m.* book; **— d'heures** prayer book
livre *f.* pound, franc
livrer deliver, give up
logis *m.* house
loi *f.* law
loin far; **de —** from afar, in advance, far off
loisir *m.* leisure
long, -ue long; **le — de** along
longer go along
longtemps a long time, long
loque *f.* rag
loqueteux ragged
lorsque when
louange *f.* praise
louer praise, hire out
loup *m.* wolf
lourd, -e heavy, clumsy
lumière *f.* light
lundi *m.* Monday
lune *f.* moon
lutin *m.* goblin, spirit, elf
luzerne *f.* lucerne, alfalfa
luzernière *f.* lucerne field

M

magie *f.* magic
magnifier magnify
maigre lean, thin
maigrir become lean *or* thin
maille *f.* farthing, mesh; **— à partir** difficulty, quarrel
main *f.* hand
maintenant now
maintenir maintain
mais but
maison *f.* house
maître *m.* master
mal *m.* evil, harm, hurt, disease, trouble
mal ill, badly, bad; **se mettre —** quarrel
malade *m., f.* sick person
malade ick, ill
maladie *f.* disease, illness
maladi-f, -ve sickly, morbid
maladroit, -e stupid *or* awkward person
malaise *m.* uneasiness, distress
malaisé, -e difficult
mâle *m.* male (sex)
maléfice *m.* witchcraft, evil trick
malgré in spite of, notwithstanding
malheur *m.* misfortune, bad luck
malheureu-x, -se unhappy
malhonnêteté *f.* rudeness
malice *f.* mischief, malice, trick, witticism
malicieu-x, -se malicious
mali-n, -gne sly, cunning, mischievous, rogue
malingret *m.* weakling
mâlot *m.* tomboy

malplaisant, -e disagreeable
maltraiter illtreat
manche *f.* sleeve
manchot, -e one-armed, clumsy
mandataire *m.* agent, attorney
mandrer (*prov.*) diminish
manger *m.* food
manger eat, consume, destroy
manier handle, manage
manière *f.* manner, way
manigancer plot, contrive
manque *m.* want, lack
manquement *m.* failing
manquer miss, fail, be near, lack, want
marchand, -e merchant, dealer
marchander bargain, haggle
marchandise *f.* merchandise, goods
marché *m.* market, bargain; **par-dessus le —** into the bargain
marcher walk, go, progress
mari *m.* husband
mariage *m.* marriage
marier marry
marmotter mumble
marquant, -e conspicuous
marque *f.* mark
marquer mark
marraine *f.* godmother
martin-pêcheur *m.* kingfisher
matin *m.* morning
mauvais, -e bad, ragged
méchanceté *f.* wickedness, wicked action
méchant, -e wicked, unkind, unjust, bad
méconnaître misunderstand
mécontent, -e displeased
mécontenter displease
médecin *m.* doctor
médisance *f.* slander, scandal
méfier (se) be on one's guard
meilleur, -e better, best
mêler mix; **se —** interfere
même even, also, same; **de —** in the same way; **quand —** even if
mêmement *old for* **même**
menace *f.* threat
menacer threaten
ménagement *m.* consideration, discretion
ménager spare, save
mendiant *m.* beggar
mendier beg
mener lead, take, take out
mensonge *m.* falsehood
menterie *f.* untruth
menteu-r, -se liar
menteu-r, -se deceitful, false
menton *m.* chin
menu, -e small, thin
mépris *m.* scorn, contempt
méprisable contemptible, despised
méprisant, -e scornful, contemptuous
méprise *f.* mistake
mépriser despise
merci *f.* mercy, pity
mercier *m.* dealer in furnishing goods, haberdasher
mère *f.* mother

méritant, -e deserving
mériter deserve
merle *m.* blackbird
merveille *f.* wonder, miracle; **à —** perfectly
merveilleu-x, -se admirable, wonderful
messe *f.* mass
mesure *f.* measure; **à — que** in proportion as
mesurer measure
métier *m.* trade
mettre put, place; bring, put on; **se —** begin; **— —** quarrel
meuble *m.* piece of furniture
meunier *m.* miller
midi *m.* noon
miel *m.* honey
mien, -ne mine
miette *f.* bit, little
mieux better, best; **il vaut —** it is better
mignon, -ne delicate, dear, small
milieu *m.* middle, midst
militaire military
mille thousand
mince thin, small
mine *f.* look, appearance, pretense
miner undermine
mineur minor, under age
minuit *m.* midnight
mirer reflect
misère *f.* poverty
mode *f.* fashion, style
moindre least
moins less; **du —** at least; **à — que** unless
mois *m.* month
moitié *f.* half
molester torment
mon, ma, mes my
monde *m.* world, people; **tout le —** everybody
monnaie *f.* coin
monter mount, rise
montrer show
moquer (se) laugh (at), ridicule
moquerie *f.* mockery, ridicule
moqueu-r, -se mocking, sneering, scornful
morceau *m.* piece, portion
mordre bite, slander
mordu, -e bitten, burnt
mort, -e dead (person)
mort, -e dead
mortel, -le mortal
mortifier mortify
mot *m.* word
motif *m.* motive, cause
motiver give a reason for
motte *f.* clod, sod
mouche *f.* fly; **— à miel** bee
mouchoir *m.* handkerchief
moulin *m.* mill
mourir die
mouton *m.* sheep
moyen *m.* means
mur *m.* wall
museau *m.* face, " mug "
musette *f.* bagpipe
mystère *m.* mystery, secrecy

N

nager swim
naissance *f.* birth
naître be born
naïvement frankly, innocently
nape (fleur de) water lily
naturel *m.* disposition
naturel, -le natural
ne not; — **que** only; — **guère** hardly; — **plus** no longer
né, -e born
néanmoins nevertheless
nécessaire necessary
nécessité *f.* necessity
nécessiteu-x, -se necessitous
négliger neglect
négocier arrange
neige *f.* snow
net, -te neat, clean
neu-f, -ve new
nez *m.* nose
nid *m.* nest
nier deny
nippe *f.* garment
noce *f.* wedding, wedding feast; **faire** — revel
noir, -e black
nom *m.* name
nombre *m.* number, quantity, many
nombreu-x, -se numerous
nommer name
notamment specially, notably
notoirement notoriously
nourrice *f.* nurse
nourrir nourish, feed
nourriture *f.* food
nouve-au, -lle new
nouvelle *f.* news
noyer *m.* walnut tree
noyer drown
nu, -e naked
nuire injure, hurt
nuit *f.* night
nuitée *f.* night

O

obéir obey
obéissance *f.* obedience
objecter object
objet *m.* object, motive
obliger oblige, compel
obscurité *f.* darkness
observer notice
obstiner (s') persist
obtenir obtain
occasion *f.* opportunity; **à l'—** on occasion
occasionner occasion, cause
occuper occupy, busy
odeur *f.* smell
œil *m.* eye, *pl.* **yeux**; **à pleins yeux** soundly
œuf *m.* egg
offenser offend, hurt; **s'—** be offended
office *m.* service
offre *f.* offer, proposition
offrir offer, propose
oie *f.* goose
oiseau *m.* bird
ombrage *m.* shade

ombrager shade
ombrageu-x, -se suspicious, easily offended
ombre *f.* shadow, shade
omettre omit
oncle *m.* uncle
opérer operate, perform, have an effect
or *m.* gold
or now
orage *m.* storm, tempest
ordinaire ordinary, habitual
ordinairement ordinarily, usually
ordonnance *m.* order, decree
ordre *m.* order
oreille *f.* ear
oreillon *m.* flap, lappet
orgueil *m.* pride
orgueilleu-x, -se proud, arrogant, haughty
oser dare
ôter take away, take off
ou or; — **bien** or else
où where
ouaille *f.* sheep
oubliance *f.* forgetfulness
oublier forget
ouche *f.* orchard
oui yes; — **-da** well, indeed
ouïr hear
outre beyond, on
outrepasser excel, outdo
ouverture *f.* opening, proposition
ouvrage *m.* work
ouvrier *m.* workman
ouvrir open, begin

P

pacage *m.* pasture
pacager graze
paiement *m.* pay, reward
païen *m.* heathen
paille *f.* straw
pain *m.* bread
paire *f.* pair, couple
paisible peaceable, gentle
paix *f.* peace
pâle pale, dull
palet *m.* quoit
pâmé, -e fainting, unconscious
pâmer (se) faint, be overcome
pâmoison *f.* fainting, swoon
panier *m.* basket
panser treat, cure (*wounds*)
pantalon *m.* trousers
paon *m.* peacock
papillon *m.* butterfly
paquet *m.* bundle
par by, in, through
paraître appear, seem
paralysie *f.* paralysis
parce que because
parcours *m.* course
pardonner pardon
pareil, -le like, similar, equal, alike, such
pareillement similarly
parent, -e relative
parenté *f.* relatives, family
paresse *f.* idleness
parfait, -e perfect
parler *m.* speech, way of speaking
parler speak

parleu-r, -se talker
paroisse *f.* parish
paroissien, -ne (fellow) parishioner
parole *f.* word, promise; **porter la** — address
parrain *m.* godfather
parsemer strew, sprinkle
part *f.* portion, share; place; **d'autre** — on the other hand, elsewhere; **faire** — **de** tell
partage *m.* division
partager endow, provide for, share
parti *m.* party, "match," resolution, decision; **prendre son** — decide, become reconciled; **tirer** — make use
particulièrement particularly
partie *f.* part, portion; — **de plaisir** excursion, expedition; **prendre à** — reproach, take to task
partir start, depart; **à** — **de** from
partout everywhere
pas *m.* step; **de ce** — at once
pas (ne) no, not
passage *m.* passing
passe *f.* pass, situation
passé *m.* past
passer pass, become; **se** — **de** do without; **en** — **par là** submit to it
passerelle *f.* footbridge
passionné, -e passionate, affectionate
passionnément passionately
patauger walk about, wade
paternel, -le paternal
patiemment patiently
pâtir suffer
pâtour (*prov.*) *m.* shepherd boy
patte *f.* paw, hand, foot
pauvre poor
payer pay, pay for
pays *m.* region, country
paysan, -ne peasant, countryman
peau *f.* skin
péché *m.* sin
pécher sin
peilleroux (*prov.*) ragged
peine *f.* pain, grief, trouble, work; **à** — scarcely
peiner pain, trouble
penaud, -e embarrassed, disconcerted
pendant during; — **que** while
pendre hang
pensée *f.* thought
penser think
pensi-f, -ve thoughtful
percher perch
perdre lose, ruin
perdreau *m.* young partridge
perdrix *f.* partridge
père *m.* father
perfide deceitful, false
périr perish, destroy, kill
persister be firm
personne *f.* person, anybody, nobody
persuader persuade
perte *f.* loss
petit, -e little

petit-fils, petite-fille grandson, granddaughter
pétrole *m.* torch, candle
peu *m.* little, nearly; **— à —** little by little, gradually; **pour —** provided; **à — près** pretty nearly
peuplé, –e inhabited
peur *f.* fear; **avoir —** be afraid
peureu–x, –se timid, cowardly
peut-être perhaps
pichet *m.* pitcher, mug
picoterie *f.* trick, torment
pie *f.* magpie
pied *m.* foot
pierre *f.* stone; **— à feu** flint
pigeonne *f.* mate (*pigeon*)
pimpant, –e smart, elegant
piquant, –e stinging, sharp
pique *f.* ill will, quarrel
piqûre *f.* prick, sting
pire worse, worst
pis worse
piste *f.* track
pistole *f.* pistole (*coin worth about two dollars*)
pitié *f.* pity; **faire —** inspire pity
placement *m.* investment
placer place, invest
plaindre pity; **se —** lament, complain
plainte *f.* complaint
plaire please, be agreeable
plaisanter joke, tease
plaisir *m.* pleasure; **à —** at will, freely
planter plant, fix, set, leave
plat, –e flat
plein, –e full, free, open; **à —s yeux** soundly
pleurer weep
pli *m.* fold, habit
plier bend, yield
plonger dive
ployant, –e supple, graceful
pluie *f.* rain, shower
plume *f.* feather
plumé, –e feathered
plus more, neither; **de — en —** more and more, increasingly; **non —** either, neither
plusieurs several, many
plutôt rather
poche *f.* pocket
poignet *m.* wrist
poing *m.* fist
point *m.* point; **à —** in time
poire *f.* pear
pois *m.* pea
poisson *m.* fish
porche *m.* porch, vestibule
porte *f.* gate, door
porté, –e devoted (**pour** to), disposed
portée *f.* reach; **— de fusil** gunshot
porter bear, carry, bring, wear; **se —** be
pose *f.* attitude
poser place, lay down
posséder possess
possible; faire son — do one's best
pot *m.* vase, jug; **— aux roses** secret

pôtu clumsy
poudre *f.* powder
poulain *m.* colt
poule *f.* hen
poulette *f.* chicken, chick
pouls (*poo*) *m.* pulse
pour for, towards, to; — **que** in order that; — **peu que** however little
pourquoi why
poursuivre pursue, continue
pourtant however, yet
pourvu que provided that
pousser push, shut, grow, spring up; — **à bout** irritate, tease
pouvoir be able, can; **il se peut** it may be
pratique *f.* practice
pratiquer practise
pré *m.* meadow
préalable; au — previously
précisément precisely
prédire predict
préférer prefer
prêle *f.* horsetail (rush)
premi-er, -ère first
prendre take, get, assume; **se** — begin; **s'y** — go about; — **son parti** become reconciled
préparer prepare
près (**de**) near; **à peu** — nearly; **de** — close by
présager indicate
présenter present, show
préserver preserve, keep
presque almost, nearly
pressé, -e eager, in haste
presser hurry, hasten
prestesse *f.* agility
présumer suppose
prêt, -e ready
prêter lend, attribute; **se** — assist
preuve *f.* proof, evidence
prévenir notify, prejudice
prévention *f.* prejudice
prévoir foresee
prévoyance *f.* foresight, presentiment
prier pray, beg, ask; **se faire** — require urging
prière *f.* prayer
printemps *m.* spring
priver deprive of, stint, restrict
prix *m.* price, value; **au** — **de** compared with
procéder proceed
prochain *m.* fellow creature, neighbor
prochain, -e next
prochainement shortly, soon
profiter profit, take advantage
projet *m.* project, plan
promener carry, take out; **se** — walk, take a walk
promesse *f.* promise
promettre promise
prononcer pronounce, declare
propice favorable
propos *m.* discourse, words; **à** — suitable, proper, properly
propre own, clean
proprement properly, neatly

propreté *f.* cleanliness, tidiness
propriété *f.* property, quality
prouver prove
provoquer provoke, incite, urge on
prune *f.* plum
puis then
puisque since
punir punish
punition *f.* punishment

Q

qualité *f.* quality
quand when; — **même** even if
quant à as for, as to
quarante forty
quart *m.* quarter, fourth part
quasi almost
quasiment almost
quatorze fourteen
quatre four
quatre-vingts eighty
quatrième fourth
que that, whom, which, what
que as, when, how, until
quelque some, any; — **peu** somewhat, rather
quelquefois sometimes
querelle *f.* quarrel
quérir get
questionner question, examine
quêter hunt, beg
queue *f.* tail
quinter lean, hang
quinze fifteen
quitte discharged, free, clear
quitter quit, leave
quoi what; **de** — wherewith; — **que** whatever
quoique although

R

raccommodement *m.* reconciliation
race *f.* breed
racheter redeem
racicot *m.* big root
racine *f.* root
raconter tell, relate
radoteu-r, -se dotard, silly person
rafraîchir refresh, cool
rage *f.* madness
raide stiff
railler jeer at, make fun of
raisin *m.* grape
raison *f.* reason; **avoir** — be right
raisonnable reasonable
raisonnablement properly, reasonably
raisonnement *m.* judgment, reasoning, argument
raisonner reason, discuss, bring to reason
râlette *f.* toad
rallonger lengthen
ramasser pick up
ramée *f.* branches, arbor
ramener bring back
rancune *f.* resentment
ranger arrange; put in order; **se** — submit
rappeler call back, recall, improve

rapport *m.* produce, production, profit; report, account, dealings; **avoir** — have to do
rapporter bring back; **se** — relate, apply
rasibus (de) close to
rattraper catch, overtake
ravin *m.* ravine
ravine *f.* torrent
rayon *m.* ray
réaliser convert, sell
reblanchir re-wash, whiten
rebuffade *f.* rebuff, snub
rebuter (se) be discouraged
recevoir receive
réchauffer warm
recherche *f.* search
rechercher seek
récidiver repeat (*an offense*)
réciproque reciprocal
réclamer claim
recoin *m.* nook, corner
récolte *f.* harvest
recommandable desirable
recommander recommend, commend, order
recommencer do again, begin again
récompenser recompense, reward
reconduire take back
réconforter comfort
reconnaissance *f.* gratitude
reconnaissant, -e thankful
reconnaître recognize
recoriller (*prov.*) bolt
recoudre re-sew
recouper re-cut
recours *m.* recourse
recueillement *m.* devotion
recueillir collect, gather
redevance *f.* rent; **de** — rented
redire blame, find fault
redonner give back
redouter fear
refaire make over
refroidir cool, become cold
refroidissement *m.* cooling, chill
refus *m.* refusal
refuser refuse
regard *m.* look, glance
regarder look, look at
regretter regret
rejet *m.* sprout, young shoot
rejoindre join, meet
réjouir please; **se** — rejoice
relever raise, pick up; **se** — get up
religieusement religiously
reluire shine, sparkle
remarque *f.* observation
remarquer remark, notice
rembrunir grow dark
remède *m.* remedy, cure
rememorer (se) recall
remercier thank
remercîment *m.* thanks, gratitude
remettre replace, cheer up, put back; **se** — begin again
remonter remount, go up
remontrance *f.* remonstrance
remplir fill, fulfill
remporter take away

remuer move
rencontre *f.* occurrence
rencontrer find, meet
rendez-vous *m.* meeting
rendormir (se) go to sleep again
rendre return, give up, give back, make, render, do; se — yield, submit
renfermé *m.* shutting, locking up
renfermer shut up, confine
renom *m.* reputation
renommé, -e famous
renommée *f.* reputation
renoncer renounce
renouveler renew (*an engagement*)
renseignement *m.* information
rentrer return, go home, bring in, restrain
renvoyer send away
réparer repair, atone for
repartie *f.* answer, reply
repas *m.* meal
repasser repass
repentir *m.* regret, remorse
repentir (se) regret, repent
répéter repeat
répliquer reply, answer
répondre reply, conform, answer, be responsible for
réponse *f.* reply, answer
repos *m.* rest
reposer rest
repoussant, -e repulsive
repousser repulse, repel
reprendre take back, take again, reply, correct, censure; (*of diseases*) return, seize
réprimander reprimand
reproche *m.* reproach
reprocher reproach
réprouver condemn
réputer regard, suppose
requérir claim, ask
résine *f.* pitch, rosin
résister resist, hold out
résolu, -e resolute, determined
résolument resolutely
respecter respect
respectueusement respectfully
respirer breathe
ressemblance *f.* resemblance, likeness
ressembler resemble
ressentir feel
ressortir go out again, feel, perceive
reste *m.* remainder, rest, leavings
rester remain
rétablir restore
retard *m.* delay
retarder delay
retenir retain, keep, hold
retirance (*prov.*) *f.* resemblance, shelter
retirer withdraw, take away, draw back
retomber fall down, relapse, fall back
retour *m.* return
retourner return, turn again, turn around
retraite *f.* retreat

retrousser turn up
retrouver find again
réussir succeed
réussite *f.* success
revanche *f.* revenge; **en** — on the other hand
rêvasser dream
rêvasserie *f.* dreaming
rêve *m.* dream
réveiller waken
revenir return, come back
rêver dream, think
revoir see again
révolter rebel
ricaner sneer, grin
riche rich
richesse *f.* riches
rideau *m.* curtain
rien *m.* nothing, trifle
riot *m.* brook
rire *m.* laughter
rire laugh
risée *f.* laughter, sport, laughingstock
risque *m.* risk, hazard
risquer risk, run the risk of
rivage *m.* shore, bank
rive *f.* bank, border
rivet *m.* bank, edge
rivière *f.* river, stream
robe *f.* dress
roi *m.* king
rompre break
ronce *f.* briar
rond *m.* circle, ring
rond, –e round
ronger gnaw, nibble
roseau *m.* reed, rush
rouge red
rouge-gorge *m.* robin (redbreast)
rougir blush
rouler roll
roulette *f.* roller, round pebble
route *f.* road
ruban *m.* ribbon
rude harsh, hard
rudement rudely, harshly
rudoyer treat harshly
ruiner ruin, destroy
ruisseau *m.* stream, brook
ruminer think over

S

sable *m.* sand
sabot *m.* wooden shoe
sac *m.* sack, bag
sacrifier sacrifice
sage prudent, wise, modest
sagement calmly, quietly
sagesse *f.* prudence, good sense
sain, –e sound
saint, –e holy
saison *f.* season
salut *m.* salvation
salutaire healthful
sang *m.* blood
sang-froid *m.* self-control
sanglaçure (*prov.*) *f.* pleurisy
sangloter sob
sans without
santé *f.* health
satisfaire satisfy
sauf except

sau-f, -ve safe
sauter jump, burst
sauterelle *f.* grasshopper
sauteriot *m.* grasshopper
sautiller skip, jump
sautiote (*prov.*) grasshopper
sautoir *m.* turnstile
sauver save; **se —** run away
savant, -e learned, clever
savoir *m.* knowledge, skill
savoir know, be able; **c'est à —** the question is
sec, sèche dry, hard, firm, thin
sécher dry
second, -e second
secouer shake
secourable helpful
secours *m.* help
secret *m.* secret, secrecy, magic
secrètement secretly
seigneur *m.* master, lord
sein *m.* bosom, breast
seize sixteen
selle *f.* saddle
selon according to; **— lui** in his opinion
semaine *f.* week
semblable similar, like
semblant *m.* pretense, show
sembler seem
semondre ask, invite
sens *m.* direction
sensibilité *f.* sensitiveness
sensible sensitive, affectionate
sentir (se) feel
séparé, -e separate
séparer separate
sept seven
sergette *f.* serge
sérieusement seriously
sérieu-x, -se serious; **au —** seriously
serpette *f.* pruning knife
serrer press, lock up
servante *f.* servant
serviable obliging
servir serve; **se —** make use
serviteur *m.* servant
seul, -e alone, only
seulement only, even
sévèrement sternly
sexe *m.* sex
si if
si so, so much
sien, -ne his, hers, its
siffler whistle
signe *m.* sign, mark
signer sign
signifier say, mean
sillon *m.* furrow
singulièrement singularly
sinon if not, except
sitôt so soon, as soon; **— que** as soon as
situé, -e situated
sobriquet *m.* nickname
sœur *f.* sister
soie *f.* silk
soigner take care of
soigneu-x, -se careful, neat
soin *m.* care
soir *m.* evening
soit either, or, whether
sol *m.* ground
soldat *m.* soldier
soleil *m.* sun

solliciter ask
somme *f.* sum
sommeil *m.* sleep
sommer summon; — **de sa parole** call on to fulfill a promise
son his, her, its
songer think, dream
sonnant, -e sounding; **espèces —es** gold *or* silver coin
sonner ring, ring for
sorcellerie *f.* sorcery, witchcraft
sorci-er, -ère sorcerer, sorceress; *adj.* difficult
sornette *f.* nickname
sort *m.* fate, spell, lot
sorte *f.* sort, kind; **de la —** in that way
sortir go out, come out, project
sot, -te stupid, foolish, silly
sottise *f.* insult, impertinence
sou *m.* cent
souche *f.* stump
souci *m.* care, notice, concern
soucier (se) trouble, concern, care
soucieu-x, -se uneasy, worried
soudainement suddenly
souffle *m.* breath
souffler blow, breathe, keep up (by blowing)
souffrance *f.* suffering, pain
souffrir suffer, bear
souhaiter desire, wish
soûl (l *silent*) *m.* fill
soulager relieve
soulever raise, stir up
soumettre submit
soumis, -e submissive, obedient
soumission *f.* submission, obedience, humility
soupçon *m.* suspicion
soupçonner suspect
soupe *f.* soup, meal
souper *m.* supper
souper have supper
soupeser lift, weigh
soupir *m.* sigh
soupirant *m.* suitor, lover
soupirer sigh
sourd, -e deaf, dull, muffled
sourdine; à la — secretly, slyly
sourire *m.* smile
sourire smile
sournois, -e sly
sournoisement slyly, cunningly
sous under
soutenir support, help
soutenu, -e constant
souvenance *f.* memory, remembrance
souvenir *m.* memory, remembrance
souvenir (se) remember
souvent frequently
souvent, -e many
souverain, -e excellent, sovereign
styler train
su *m.* knowledge
subir undergo
subtil, -e shrewd, smart
sueur *f.* sweat, perspiration
suffire suffice

suffoquer stifle, suffocate
suicider commit suicide
suite *f.* continuation, course, consequence, result, series; **de —** at once, in succession; **tout de —** at once; **par la —** afterwards
suivant, -e following
suivre follow
sujet *m.* subject; **à ton —** on your account
superstitieu-x, -se superstitious
supporter support, bear
supposé, -e supposed; **un —** supposing
supposer suppose; **à —** admitting
sur on, during
sûr, -e sure, certain
sûreté *f.* safety
surmonter overcome
surnager float, rise
surnom *m.* surname
surprenant, -e surprising
surprendre surprise, catch
surtout especially
surveillance *f.* supervision
surveiller watch over, watch
sus; en — de up, over
susciter raise up, cause

T

tablier *m.* apron
tabouler worry, scold
tache *f.* soil, stain, blot
tâche *f.* task
taille *f.* height, waist, size; wood, tax
tailleur *m.* tailor
taire (se) keep silent
talon *m.* heel
tancer scold, taunt, rebuke
tandis que while
tant so much, so many, as well
tante *f.* aunt
tantôt sometimes, now, almost, just now
tape *f.* tap, blow, pat
taper strike
taquiner tease
taquinerie *f.* teasing
tarabuster beat, illtreat, rebuke
tard late
tarder delay, be long
tâter try, test
teint *m.* color
tel, -le such
tellement so much so
témoignage *m.* testimonial, witness
témoigner show
témoin *m.* witness
tempérament *m.* character, disposition
temps *m.* time, weather
tendre affectionate
tendre hold out, incline, tend
tenez here, see!
tenir hold, keep; **y — plus** hold out
tenter try, tempt
tenue *f.* clothing; deportment
terme *m.* term, expression

terre *f.* earth, land, soil
tête *f.* head
tien, -ne thine
tiens here, come!
tiers *m.* third
tirer pull, draw, go; — **parti** make use; — **vengeance de** be revenged on
toile *f.* cloth, web; — **du ventre** diaphragm
tombée *f.* fall
tomber fall; — **en faiblesse** faint
ton *m.* tone, manner
tonnerre *m.* thunder
tort *m.* wrong, fault
tortiller twist, wriggle
tortu, -e crooked, deformed
tôt soon
toucher touch, drive
toujours always, still
tour *f.* tower
tourment *m.* torment, worry
tourmenter torment, toss, worry
tourner turn, go
tournure *f.* figure, shape
tout *m.* whole, everything
tout, -e any, all, every, whole
tout entirely, quite
toutefois nevertheless, however
tracasser torment, annoy
train *m.* pace, movement; **en** — in the mood
traire milk
traitable gentle, reasonable
traitement *m.* reception, treatment
traiter treat; — **de** call
traître treacherous
traîtrise *f.* cunning
tramer plot, discuss
tranquille quiet; **laisser** — let alone
tranquillement slowly, quietly
tranquilliser calm
tranquillité *f.* calmness
transfigurer transform
transi, -e overcome, dazed
transiger compromise
travail *m.* work
travailler work
travers (**à**) across, through; **en** — **de** across; **de** — wry, askance
traverser cross
traversieux contrary
trébucher hesitate
trèfle *m.* clover
treize thirteen
trembler tremble
tremper dip
trente *m.* thirty
très very, very much
tretous (*antiquated*) all
triomphe *m.* triumph
trique *f.* cudgel
triste sad, melancholy
tristement sadly
tristesse *f.* sadness
trois three
troisième third
tromper deceive; **se** — be mistaken
trop too, too much, many, very much

trou *m.* hole, hollow
troubler stir up, disturb
troupeau *m.* flock, herd
trousseau *m.* bunch
trouver find; **se —** be
tuer kill
tuile *f.* tile
tut–eur, –rice guardian

U

unique only
uniquement exclusively, solely
usage *m.* use
user exhaust, wear out
utile useful

V

vache *f.* cow
vagabondage *m.* vagrancy, roaming
vaguer wander
vaillant, –e good
vain, –e proud, conceited
vaincre overcome, conquer
val *m.* valley
valeur *f.* value, worth
valoir be worth, be equal to; **faire —** work, show off; **il vaut mieux** it is better
vanité *f.* vanity
vanner exhaust, confuse
vanter (se) boast
vaquer attend
vécu *past part. of* **vivre**
veille *f.* eve, day before
vendange *f.* vintage, grape gathering
vendre sell
vengeance *f.* revenge
venger avenge
venir come; **— de** have just
vent *m.* wind
ventre *m.* belly, abdomen
vêpres *f. pl.* vespers, even-song
verger *m.* orchard
vergne *f.* alder
véritable true, real
véritablement really, truly
vérité *f.* truth
verre *m.* glass
vers towards
verser pour out, shed, upset
vert, –e green
vertu *f.* virtue, property
veste *f.* waistcoat, jacket
vétérinaire *m.* veterinary (surgeon)
veuve *f.* widow
viande *f.* meat
vie *f.* life
vierge *f.* maid, virgin
vieux, vieil, vieille old
vi–f, –ve quick, keen, sharp
vigne *f.* vine, vineyard
vilain, –e ugly, bad
vilainement basely, vilely
vilenie *f.* mean trick
ville *f.* town, city
vimaire *f.* damage (*from storms*)
vin *m.* wine
vingt twenty
vipère *f.* viper
virer turn
visage *m.* face

vis-à-vis de towards, opposite to
visiter examine, inspect
vite quickly
vitement quickly
vitesse *f.* speed, rapidity
vitrage *m.* windows
vivacité *f.* vivacity, activity, sprightliness
vivandière *f.* sutler
vivant, -e living, alive
vivement briskly, deeply, sharply
vivre live
voici here are
voilà there are
voir see
voisin, -e neighbor; *adj.* near
voisinage *m.* neighborhood
voiture *f.* carriage
voix *f.* voice
volaille *f.* poultry
voler fly
voleur *m.* robber, thief
volontaire voluntary
volonté *f.* will, disposition
volontiers willingly
vouer devote, solemnly promise
vouloir *m.* wish, desire
vouloir will, wish; **en — à** be angry with; **— dire** mean
vrai, -e true, genuine, truly; **pour de —** seriously
vraiment really, indeed
vu *m.* sight; **— que** seeing that
vue *f.* sight, view

Y

y there, in it, in them
yeux *pl. of* **œil; à pleins —** soundly

Z

zèle *m.* zeal

Heath's Modern Language Series

INTERMEDIATE FRENCH TEXTS. (Partial List.)

Augier's Le Gendre de M. Poirier (Wells). Vocabulary.
Bazin's Les Oberlé (Spiers). Vocabulary.
Beaumarchais's Le Barbier de Séville (Spiers). Vocabulary.
French Lyrics (Bowen).
Gautier's Jettatura (Schinz).
Halévy's L'Abbé Constantin (Logie). Vocabulary.
Halévy's Un Mariage d'Amour (Hawkins). Vocabulary.
Historiettes Modernes (Fontaine).
La France qui travaille (Jago). Vocabulary.
Lectures Historiques (Moffett). Vocabulary.
Loti's Le Roman d'un Enfant. (Whittem). Vocabulary.
Loti's Pêcheur d'Islande (Super). Vocabulary.
Loti's Ramuntcho (Fontaine)
Marivaux's Le Jeu de l'amour et du hasard (Fortier). Vocab.
Mérimée's Chronique du Règne de Charles IX (Desages).
Mérimée's Colomba (Fontaine). Vocabulary .
Molière en Récits (Chapuzet and Daniels). Vocabulary.
Molière's L'Avare (Levi).
Molière's Le Bourgeois Gentilhomme (Warren). Vocabulary.
Molière's Le Médecin Malgré Lui (Hawkins). Vocabulary.
Pailleron's Le Monde où l'on s'ennuie (Pendleton). Vocabulary.
Poèmes et Chants de France (Daniels and Travers). Vocabulary.
Racine's Andromaque (Wells). Vocabulary.
Racine's Athalie (Eggert).
Racine's Esther (Spiers). Vocabulary.
Renan's Souvenirs d'Enfance et de Jeunesse (Babbitt).
Sand's La Mare au Diable (Sumichrast). Vocabulary.
Sand's La Petite Fadette (Super). Vocabulary.
Sandeau's Mlle de la Seiglière (Warren). Vocabulary.
Sardou's Les Pattes de Mouche (Farnsworth). Vocabulary.
Scribe's Bataille de Dames (Wells). Vocabulary.
Scribe's Le Verre d'Eau (Eggert). Vocabulary
Sept Grands Auteurs du XIXe Siècle (Fortier). Lectures.
Souvestre's Un Philosophe sous les Toits (Fraser). Vocabulary.
Thiers's Expédition de Bonaparte en Egypte (Fabregou).
Verne's Tour du Monde en quatre-vingts jours (Edgren). Vocab.
Verne's Vingt mille lieues sous les mers (Fontaine). Vocab.
Zola's La Débâcle (Wells). Abridged.